JN116401

パワーポイントプラスαで進める

楽しく学び「生きる力」をはぐくむ

歯・口の保健教育Ⅱ

著 日本学校歯科保健・教育研究会

はじめに

日本学校歯科保健・教育研究会は平成18年（2006年）の第１回から、１年に２回開催を続け、第20回を記念した平成28年（2016年）に東山書房より『パワーポイントで進める―楽しく学び「生きる力」をはぐくむ歯・口の保健教育』を出版し、広く学校現場で歯科保健教育に活用いただいています。そして、第30回を迎える記念事業として、続編〈パートⅡ〉を発刊することといたしました。本書は今まで研究会で提案してきた「模擬授業」や「歯科講話」などを、学校現場で活用していただけるよう、編集いたしました。

第２章　歯・口の保健講話

- 歯科医の先生による「保健講話」や養護教諭による「歯のお話」の際に活用していただくことができるよう作成しました。
- そのまま講話に使用できるよう、写真やイラストも満載のパワーポイントをCD-ROMに収録しました。編集も可能ですので、各校の実態に合わせてお使いください。

第３章　歯・口の保健教育

- １単位時間の保健の指導の流れを簡単な指導案で示しています。
- 養護教諭が指導を進める形式となっていますが、歯科医、歯科衛生士、栄養職員など他職種の方とのコラボレーションも想定しています。その際、だれとコラボレーションをするとより効果的な授業ができるかも示しています。
- そのまま指導に使用できるよう、写真やイラストも満載のパワーポイントをCD-ROMに収録しました。編集も可能ですので、各校の実態に合わせてお使いください。
- ワークシートはワードバージョンになっていますので、書き換えも自由自在です。

第４章　歯・口のおもしろ体験

- 歯・口の健康に関することを、体験を通して実感できる教材です。
- そのまま体験に使用できるよう、イラストやワークシートをCD-ROMに収録しました。編集も可能ですので、各校の実態に合わせてお使いください。

第５章　紙人形劇でおはなし

- 年長園児向けの紙人形を使ったお話です。
- そのままお話に使用できるよう、紙人形のイラスト型紙をCD-ROMに収録しました。紙人形の大きさなど編集も可能ですので、お話を行う会場の広さに合わせてお使いください。

コラムコーナー

学校歯科保健教育に関するスペシャリストによるコラムコーナーが充実しています。
ぜひ、御覧ください。

この本を手にとってくださった皆様ありがとうございました。本書が歯科保健教育に取り組む多くの先生方のお役に立てば幸いです。

目　次

はじめに

第1章

楽しく学び「生きる力」をはぐくむ
学校歯科保健教育

1　子どもの健康と「生きる力」そして「歯・口の健康づくり」

「生きる力」（最近は「生き抜く力」などともいわれています）とは、平成８年の中央教育審議会「21世紀を展望した我が国の教育の在り方について（第一次答申）」の中で、以下のように提示されたものです。

> 我々はこれからの子供たちに必要となるのは、いかに社会が変化しようと、自分で課題を見つけ、自ら学び、自ら考え、主体的に判断し、行動し、よりよく問題を解決する資質や能力であり、また、自らを律しつつ、他人とともに協調し、他人を思いやる心や感動する心など、豊かな人間性であると考えた。たくましく生きるための健康や体力が不可欠であることは言うまでもない。我々は、こうした資質や能力を、変化の激しいこれからの社会を［生きる力］と称することとし、これらをバランスよくはぐくんでいくことが重要であると考えた。

この「生きる力」という考え方を取り入れ、また、平成30年の学習指導要領改訂を受けて、文部科学省（日本学校保健会）は令和元年度改訂版学校歯科保健参考資料『「生きる力」を育む学校での歯・口の健康づくり』を刊行しました。

昭和53年にはじめて『小学校／歯の保健指導の手引』が出版された当時は、いわゆる「むし歯の洪水」の時代でした。歯科医療すなわち治療では追いつかない状況の中で、教育の力が必要な時代でした。実際、学校における歯科保健活動は、教育活動の一環として実施され、その目標も学校教育目標と同一線上に設定されていました。

平成４年には、改訂版が出版されましたが、この頃になると、学校での歯科保健活動は、例えば、人間性の陶冶に優れた力の育成や健康の基礎づくりに対する効果も各学校で認められるようになり、高い評価を得ることになりました。すなわち、単純にむし歯の予防からスタートした学校歯科保健活動の教育的産物として、子どもたちの健康意識や行動の変容のみならず、豊かな人間性の育成にも効果のあることが示されたのです。

現代の子どもたちには、「心の問題」「いじめ」「薬物」「性の問題」「生活習慣病」あるいは「安全」など多くの課題があります。これらの課題は重要ですが、子どもたちにとっては実体感のない、具体性に乏しく理解が難しい課題です。一方、「歯・口」の課題は、目で見ることも、触れてみることも、機能させてみることも、互いに観察することも可能な課題です。つまり、歯・口の健康づくりの諸活動は、「健康」という難しい概念を、可視化できる利便性のよい学習材といえるでしょう。そして、ここにこそ中央教育審議会のいう「生きる力」をはぐくむために、歯科保健活動の貢献するところが大きいのです（図１参照）。

歯科保健活動では、生活習慣としての歯みがきや間食の摂り方など、行動とのかかわりの中で考え、さらに、見つけ出した課題を解決し、自分自身の変化を見ることに意義があります。発達段階をふまえた上で、子どもたちの自律的・自立的健康管理をはぐくむことができます。子どもたちにとって難しい概念としての健康を、実体感のある「歯・口の健康づくり」から広げてみてはいかがでしょうか。そして、これこそが、「生きる力」の学習そのものではないでしょうか。

図１　学校歯科保健活動と「生きる力」の要素比較

生きる力	歯科保健活動
自分で課題を見つけ、自ら学び、自ら考え、主体的に判断し、行動し、よりよく問題を解決する能力	・健康課題は目で見える ・原因と結果の学習が容易 ・解決行動は容易で日常的
自らを律しつつ、他人と協議し、他人を思いやる心や感動する心など豊かな人間性とたくましく生きるための健康や体力	・健康行動は自らを律すること ・学級での共有化がしやすい ・感動する題材がある

2　日本学校歯科保健・教育研究会が目指すもの

平成18年６月に日本学校歯科保健・教育研究会（以下、研究会）を創設し、まもなく令和４年には記念となる30回を開催します。

会則では研究会の目的を次のように掲げています。

> 学齢期における歯・口の健康つくりを通して次世代の国民が健康で豊かな生活を享受できることを目指して、学校保健・教育に携わる人々が、学際的な研究や教育を通して相互に緊密な連携の下に、学校保健の発展に寄与するとともに研究成果の社会への還元を図ることを目的とする。

この目的達成のため、研究活動や運営にあたり以下のことを目指しています。

（１）歯科保健が子どもたちの明るい未来につながるように、開催のメインテーマを創造的かつポジティブなものを設定することを目指す。

〈研究会の開催メインテーマ〉は、

- クローズアップ歯肉　―中学校での歯科保健活動の充実にむけて―
- マウス・トゥ・ザ・フューチャー　―健康な未来はお口の健康から―
- 学齢期をつなぐ歯科保健　―中小連携の夢と可能性―
- 「生きる力」をはぐくむ歯・口の健康づくりの展望
- 食と咀しゃくの健康教育
- 学校から拡げよう！　子どものヘルスプロモーション
- 生きる喜び・生きる力をはぐくむ学校歯科保健
- 地域でバックアップする児童生徒の健康づくり　―歯・口の健康づくりを通して―
- 歯・口からひろがる健康づくり　―学校歯科医とのコラボレーション―
- 歯・口からひろがる食の教育
- 笑顔と活力を生み出す歯・口の健康づくり　―思春期の学校歯科保健―
- 子どもの豊かな学びを生み出す歯科保健教育の実際　―これまで、そしてこれから―
- わくわく・やってみたくなる歯と口の健康づくり
- 子ども・学校・家庭が変わる歯と口の健康づくり

・歯の健康フェスタ　―歯の働きを科学する―
・笑顔でいきいき　―歯・口からひろがる心とからだ―
・子どもの歯・口の外傷防止を考える
・笑顔の交わせる健康づくり　―学校保健委員会の活性化を目指して―
・遊びを通して歯・口の大切さを学ぼう　―幼児期からのアプローチ―

などです。以上のメインテーマが表しているように、歯科保健教育を通して次世代を生きる子どもたちが楽しく学びながら自分の心とからだの成長に喜びを感じ、生涯にわたる健康づくりへの意欲や実践力を高めることができるような歯科保健教育を提案してきました。

そのため、幼児期から小、中、高の発達段階に即した歯科保健教育の切り口や学習材、指導内容や指導の方法などを工夫するとともに、子どもたちの健康づくりを支える多職種の教育・保健関係者や家庭・地域社会との連携の在り方なども提案してきました。

（2）歯・口から全身の健康や心の健康を考えるアプローチを目指す。

〈歯・口の題材を取り上げること〉は

・歯・口腔は鏡を見れば自分で観察できる。
・いまの自分の歯や歯肉の健康状態を知り、さらに健康を高める健康行動が考え易い。
・特に学齢期は歯の萌出や交換など、自分の身体の変化や成長が実感をともなって認識できる。
・COやGOなどの状態では適切な歯みがきや生活習慣により、自分で実践の効果を体験できる。

など、健康を考えるうえで大変分かりやすく、効果的な題材といえます。

研究会ではそのような保健教育を一歩進めて、歯・口の健康にとどまらず、歯・口の健康と関連づけて全身の健康や心の健康なども考えることができるような保健教育の開発にアプローチしてきました。

例えば、「よくかんで味わって食べる」ことは咀しゃくにより唾液を多く分泌させ口腔内を中和してむし歯や他の感染症を予防したりすることや消化吸収を助けて成長に欠かせない栄養をより多く摂取し易くなること、さらには脳の働きを活性化したり、感情を満たしたり心を安定させたりする効果も期待できることなどに歯科保健教育を拡げることができます。

また、歯・口腔は、子どもたちがトップアスリートの話や運動能力の計測や実験を体験することなどから、運動時に最高のパフォーマンスを発揮するには歯や顎の健康状態が深くかかわっていることに気づくこともできます。

さらに、周りの人たちと良好なコミュニケーションを図るためには、歯や口唇、舌など口腔全体が重要な役割を果たしています。素敵な笑顔で明瞭な発音ができるためには歯・口腔の健康が欠かせないことなども歯科保健教育のテーマになります。コミュニケーションを阻害する口臭などの原因も歯や歯肉はもとより全身や心の健康状態と大いに関係していることなどにも気づくことができます。

いくつかの例のように、これまで研究会では模擬授業などを通して歯・口の題材を切り口にして、全身の健康や心の健康を考える歯科保健教育へのアプローチを開発してきました。

（3）これからのモデルとなるような歯科保健教育を創造することを目指す。

従来、「むし歯」や「歯肉炎」などの病気の予防や治療の促進を目標とする保健教育は多くの学校で取り組まれてきました。その内容は予防のためのブラッシングとかフッ化物の応用が中心になっていたり、病気の早期治療を促したりするような管理重視の指導が多く見受けられました。

研究会では、このような疾病指向や管理重視から、子どもたちの自律的な健康づくりを促す健康指向（健康のレベルアップを目指す指向）や教育・支援重視へと転換を図ることを目指しています。

例えば、研究会で提案した模擬授業の題材では「歯肉炎を予防しよう」ではなく「もっと元気な歯肉をつくろう」とか、「五感を生かして味わって食べよう」とか「だ液で元気になろう」など、ポジティブな生き方につながるように歯科保健の切り口や学習材（教材や資料など）を工夫しています。

さらに、研究会が提案した
〈模擬授業の題材〉は、

- 歯ッピースマイル大作戦
- 歯・口のサインをキャッチしよう
- 未来につなげよう！　―かむことの力―

写真①　中学生対象　模擬授業「トップアスリートの秘密」 学級担任と学校歯科医によるTT

写真②　模擬授業に参加者の生徒役が楽しんで授業を受ける

写真③　模擬授業「歯ッピースマイル大作戦」素敵な笑顔の人の写真を見て食生活や生活習慣、心の健康を考え協議する

写真④　グループで考えた「歯ッピースマイル大作戦」をポスターにして発表

・活力を生み出すスポーツも歯が決め手！　―トップアスリートの秘密―
などです。子どもたちの成長段階や興味・関心にヒットするような題材や内容を創造してきました。

（4）参加者が楽しく交流しながら、アクティブ・ラーニングを体験できるようなプログラムを目指す。

研究会では、参加者が講演会やシンポジウムなどで講師の話を聞くだけでなく、できるだけ参加者全員が意見発言や提案ができるようにしたり、参加者同士が意見交換できる場を多くつくるようにしたりしてきました。模擬授業では参加者が児童生徒役になったり、ワークショップなどで児童生徒の学習を体験したり、学習材を制作したりするアクティブ・ラーニングを取り入れてきました。

〈研究会のプログラムの工夫〉としては、

・ワークショップ「マイ・マウスガードを作ってみよう！」
・歯科保健活動に活用できる学習材を知る体験活動
　―歯と口のスタンプラリー「歯っぴー　GO！」―
・大人のブレスト会議
　テーマ「歯科保健活動にイノベーションを起こそう」
・視覚媒体を使った歯と口の保健教育
　インターネットを活用した保健指導「歯と自分をみがこう」
　パワーポイントで進める保健教育「歯の一生」
　パワーポイントで進める保健講話「口から始まる進化」
・体験模擬授業「五感を研ぎ澄ます味覚体験」
・小劇場「学校保健委員会ある・ある」を観て、グループで課題と解決策を協議し、発表する。
・フロアーディスカッション
　テーマ「歯・口の健康づくりから笑顔と活力を生み出すには…」

などです。参加者の交流・参加・体験を通して、歯科保健教育の大切さや楽しさ・魅力を感じられるような企画を工夫しています。

写真⑤　「わくわくやってみたくなる歯と口の健康づくり」フッ素のむし歯予防効果を卵の殻を使って実験して確かめる

写真⑥　「わくわくやってみたくなる歯と口の健康づくり」どの歯がどの位置にあるか考え、歯列模型を完成させる

写真⑦　高等学校　スポーツ活動における歯・口の外傷予防・安全教育の実践紹介

写真⑧　ワークショップ「マイ・マウスガードを作ってみよう！」

写真⑨　ミニ劇場「学校保健委員会ある・ある」を観て、課題と改善策を協議する

写真⑩　グループ協議には各職種の専門家もアドバイスに加わる

（5）ヘルスプロモーションの考えに立って、多職種の連携やコラボレーションによる歯科保健教育の新たな展開を目指す。

研究会では、子どもたちの健康づくりもヘルスプロモーションの考え方に立って推進することが極めて重要だと考えています。子どもたちの健康づくりを推進するに当たっては学校での健康教育（保健教育及び保健管理を含む）を充実するとともに、周りの人々の支援や地域や行政を含めた環境づくりが求められています。

研究会では教育関係者と保健関係者が歯科保健教育に関する研究のみならず学校保健委員会の活性化や行政との連携の在り方なども提案してきました。

具体的な研究会の活動例として、模擬授業では学級担任や養護教諭など学校関係者と学校歯科医や歯科研究者が協議を重ねて、それぞれの専門性を発揮しながら一体となって指導案の作成段階からTTによる授業実施、実施後の評価に至るまでコラボ（協同）して創り上げています。

児童と保護者を対象として開催した『健康フェスタ』（テーマ「歯と口の働きを科学する」）では多職種の方々がその専門を生かして児童や保護者が興味をもって楽しい実験や体験ができるブースを担当しました。

多職種の連携・コラボレーションにより、これからの歯科保健教育の先駆けとなるようなモデルを提案することを目指しています。

写真⑪　児童・保護者も参加した「健康フェスタ」 自分の歯・口を「みはるくん」を使って観察

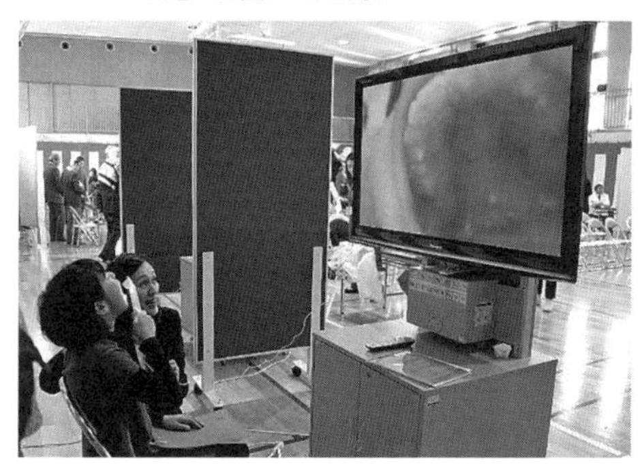

写真⑫　「健康フェスタ」健康相談コーナー 親子が学校歯科医に気軽に歯の健康相談

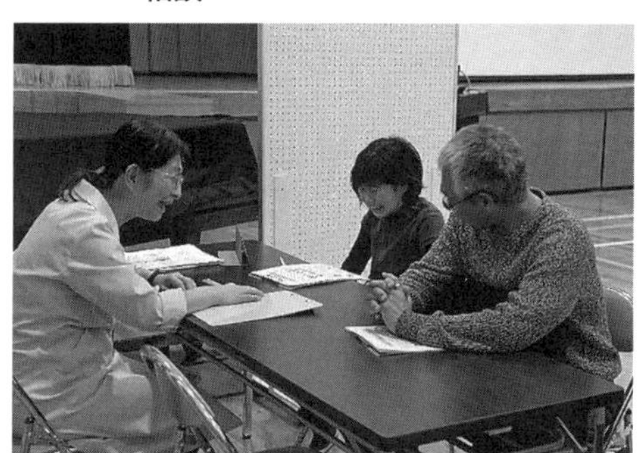

〈現在、研究会に参加している各職種の専門家〉は、

- 学校関係者……校長、副校長、教諭、養護教諭、栄養教諭、学校栄養職員、幼稚園教諭
- 歯科関係者・保健関係者……歯科系大学研究者、学校歯科医、歯科衛生士
  保育園歯科医、保育園看護師、管理栄養士
- 行政関係者……国及び自治体の保健担当者、教育委員会指導主事
  地域保健センター歯科保健担当者

などです。

（6）研究の成果を広く普及し、歯科保健の一層の発展に寄与することを目指す。

本研究会の開催はまもなく15年目30回の節目を迎えます。これまでの研究の成果を広く全国の教育・保健関係者に知っていただき、各学校の歯科保健活動に活用していただきたいと願って、次のような取組をしてきました。

- 東京都の学校や大学を会場に開催してきましたが、毎回全国各地から参加していただいています。今後は各県の歯科医師会や教育委員会などと協力・連携してより多くの府県で開催して研究の成果を普及・共有することを目指しています。
  これまでに兵庫県淡路市（第４回）、滋賀県大津市（第21回）、神奈川県横浜市（第23回）、高知県高知市（第25回）、千葉県松戸市（第27回）、群馬県高崎市（第29回 2021. 8 予定）にて開催しました。
- 『パワーポイントで進める―楽しく学び「生きる力」をはぐくむ歯・口の保健教育』を著作・発刊（東山書房　初版2016. 3）、パートⅡを発刊する（東山書房より2021. 4 発刊予定）。
- ホームページで紹介する。　http://www.dent.meikai.ac.jp/~jasdhe/
- ニュースレターを発行する（会員対象）。

などに取り組んでいます。

第2章

歯・口の保健講話

- 15分程度で行うことのできる保健講話パワーポイント教材です。
- CD－ROM 収録のパワーポイント教材は編集可能です。各校の実態に合わせてお使いください。

①食べ物さんの旅

1 ねらい

・食べ物の消化吸収の過程を理解する。
・よくかむことが最重要であることを知り、毎日の習慣づけの意欲を高める。

食べ物が消化器官を通って体の栄養になるためには、消化吸収の機能を高めることが大切で、どのようにすれば機能を高めることができるかを会得してほしいと思います。

2 指導の実際

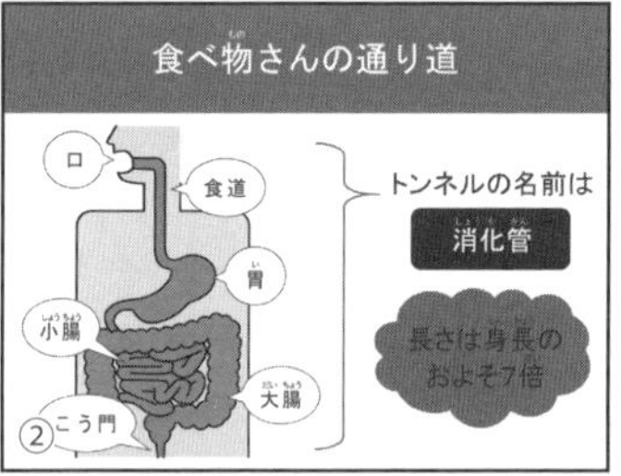

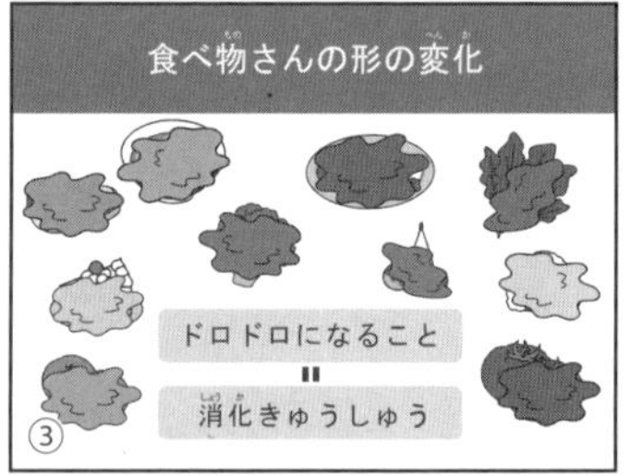

①今日のテーマは、「食べ物さんの旅」です。ヒトは生きていくためにいろいろな食べ物を食べます。食べ物は体の栄養になる、まさに命の源ですね。これから、食べ物さんが体に入って、どんな旅をしていくのか、お話ししたいと思います。

②食べ物さんは、口から入って食道、胃、小腸、大腸を旅して、最後は肛門から体の外に出ます。口から肛門までは１本のトンネルのようにつながっています。このトンネルを「消化管」といいます。では、消化管の長さはどのくらいだと思いますか？　答えは、みなさんの身長の約７倍です。とても長いですね。

③食べ物さんは、いろいろな栄養素が混ざり合ってできていますが、どんな食べ物さんも食べたままの形では体の中を旅することはできません。食べ物さんは旅をする間に、細かくなって形が消えてどろどろになり、栄養を体の中に取り込めるようになります。この働きを「消化吸収」といいます。

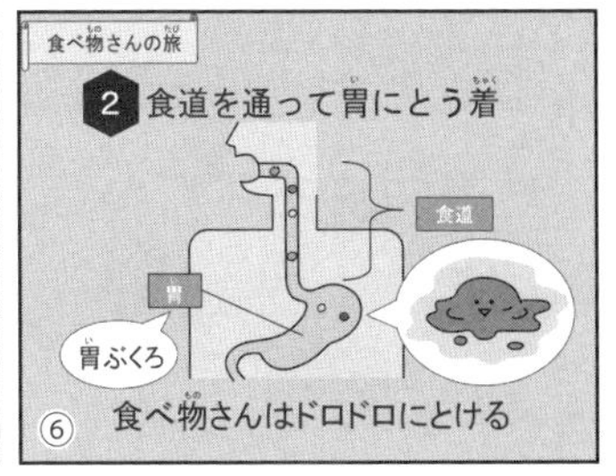

④それでは、旅をはじめましょう。旅のはじまりは口です。食べ物さんが口に入ると、かたい歯が出迎えてくれました。この歯にはとても大切な働きがあります。

⑤それは、食べ物さんをよくかんで、粉々にする働きです。よくかむとだ液がたくさん出てくるので、舌や頬っぺたや唇を使って食べ物さんと混ぜ合わせます。だ液には消化液が含まれていて、よく混ぜ合わせることで食べ物さんは消化しやすくなります。

⑥だ液とよく混ざってどろどろになった食べ物さんは、喉を通ると、食道と呼ばれるせまくて細いトンネルを進んで胃に入ります。胃は袋のような形をしているので、胃袋ともいいます。胃では、胃酸という消化液の働きで、食べ物さんはさらにどろどろに溶けます。

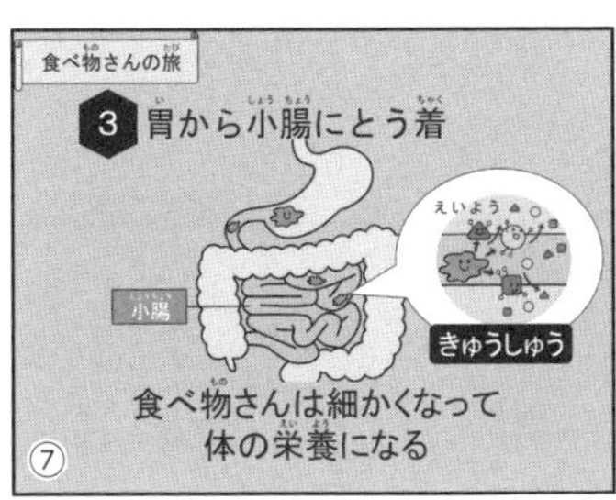

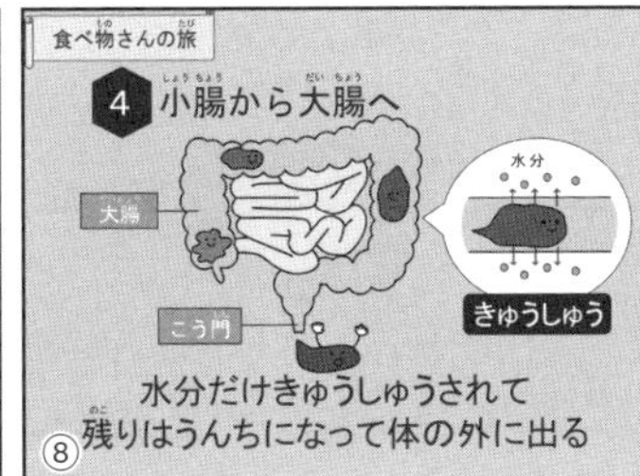

⑦どろどろに溶けた食べ物さんが小腸へやってきました。小腸はジェットコースターのようにくねくね曲がっていて、消化管の中で一番長いです。ここでは、いろいろな消化液の働きで食べ物さんはさらに細かく小さくなって、体の中に入ることができる栄養素になります。そして、栄養素と水分のほとんどが体に吸収されます。

⑧小腸でも吸収されなかった食べ物さんは大腸へやってきます。ここでは残りの水分だけが吸収され、残った食べかすはうんちになって肛門から体の外に出ます。こうして食べ物さんの旅は終わりを迎えます。

⑨食べ物さんが体の栄養になるためには、体のどの部分もきちんと働くことが大切です。どこか１か所でも働かないと、そこから先の旅はうまく進みません。なかでも一番重要な部分はトップバッターの口で、食べ物さんをよくかんで、だ液としっかり混ぜ合わせることで、食べ物さんは消化吸収されやすくなります。それに、意識して働かせることができるのは口だけで、胃と腸は自分で意識しても働かせることはできません。

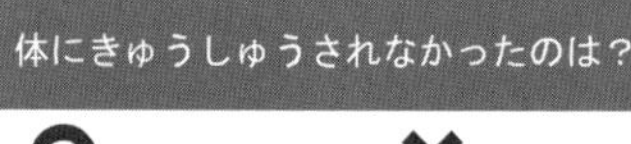

⑩食べ物さんの旅の様子が分かりましたね。食べ物さんは消化吸収されて体の栄養になりました。では、最後まで消化吸収されなかったのはどんな食べ物さんでしょうか？　それは、口でよくかまなくてだ液と混ざらなかった食べ物さんです。せっかく栄養があるものなのに、もったいないですね。野菜などに多く含まれる食物繊維も消化されませんが、大腸の中を掃除して便秘を予防して、良いうんちを出すのを助けてくれます。

⑪胃と腸の働きを高めるためには、脳がおいしいと感じることが大切です。楽しい雰囲気の中で食事をすると、脳が刺激されて活発に働いて、心も安定します。それから、目で見ておいしそうだと感じたり、鼻でおいしそうなにおいを感じたり、口でよくかんでおいしいと感じることでも脳が活発に働きます。そうすると、胃と腸の働きを高めることができるのです。

⑫食べ物は、歯でよくかんでだ液としっかり混ぜ合わせることで消化吸収されやすくなり、体の栄養になることが分かりました。歯でよくかむことはみなさんが健康でいるためにとても大切です。よくかんで食べることを心がけましょう。

MEMO

コラム① 災害に遭った時

地球環境の変化によるものか、2019年も台風や洪水の影響が多くありました。日本は地震や津波などの自然災害の多い国でもあります。その度に避難所生活を余儀なくされることがあります。その場合に周りにいる保護者や教育関係者、医療従事者にお願いしたいことがあります。

それは、健常な幼児や小学校低学年の児童に対する観察、生活習慣の見守り、歯・口の保健の指導などのアプローチを忘れずに行動していただきたいのです。

過去の災害の経験からトリアージでは、乳幼児や高齢者、有病者が優先され、健常な幼児や小学校低学年の児童は周りの大人たちの視界から外れてしまうことが多々あります。心的な外傷後ストレス障害（PTSD）は、保健師、看護師や教育関係者から警鐘が鳴らされますが、歯・口のケアは過去の災害経験からしてもトリアージの注目度は低いようです。

阪神淡路大震災の時は、直後に子どもたちの口腔の状況が悪化し、特にむし歯が多く発生しました。それは、支援物資として菓子パンやチョコレートや飴などの菓子類やジュース、イオン飲料などが避難生活の慰めとして多量に避難所に運び込まれたことで、自由に好きな量を食べたり、飲んだりできたのです。周りの大人たちも同様でした。健康な子どもたちが同様にすることは見て見ぬふりをされていました。結果は、惨憺たるものでした。

避難所で生活する子どもたちがその後も健康でいられるためには、避難所生活の時から健康な生活習慣を崩さないように、周りの大人たち、関係者は、子どもたちに保健の指導や食習慣の管理を忘れずに行ってほしいと思います。

被災時の簡単なお口のケア方法や、歯ブラシがない場合や水が少ない時の歯のみがき方など、以下の参考図書などを参照してください。

〈参考図書〉

『児童生徒のための被災時の歯・口の健康対応マニュアル』日本学校歯科医会発行、2009年
『歯科における災害対策　防災と支援』砂書房、2011年

②ブラッシングを見直そう！

低学年 中学年 **高学年** 中学生 高校生 保護者

1 ねらい

・歯垢（プラーク）をバイオフィルムと置き換え、バイオフィルムは流し台の排水口のぬめりと同様であることを知り、ブラッシングに取り組むことを意識する。
・バイオフィルムを除去することで、インフルエンザの予防になることを理解する。

ブラッシングの目的の大部分は歯垢（プラーク、バイオフィルム）を取り除くことです。バイオフィルムは口腔以外の汚い場所でもぬめりとして発生していることを知り、また、微生物の生態を知ることでインフルエンザの予防にもつながることを理解してほしいと思います。

2 指導の実際

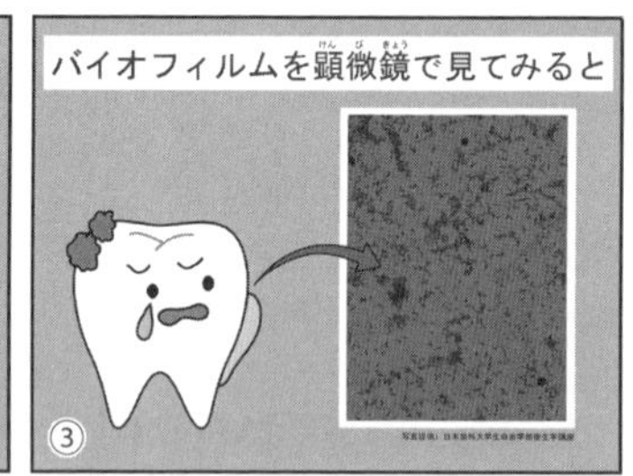

①みなさん、毎日歯みがきをしていますか？　健康な歯でいるために、歯みがきはとても大切ですね。今日のテーマは、「ブラッシングを見直そう！」です。歯みがきの見方が少し変わるかもしれませんよ。

②みなさんは何のために歯みがきをしていますか？　私たちは食べ物のかすや歯の汚れを取るために、毎日歯みがきをしていますね。この汚れを「歯垢」「プラーク」といいます。「バイオフィルム」ともいいます。実は、バイオフィルムは単なる食べ物のかすや歯の汚れではありません。バイオフィルムは細菌のかたまりで、むし歯や歯肉炎の主な原因なのです。

③これは、バイオフィルムを顕微鏡で観察したものです。

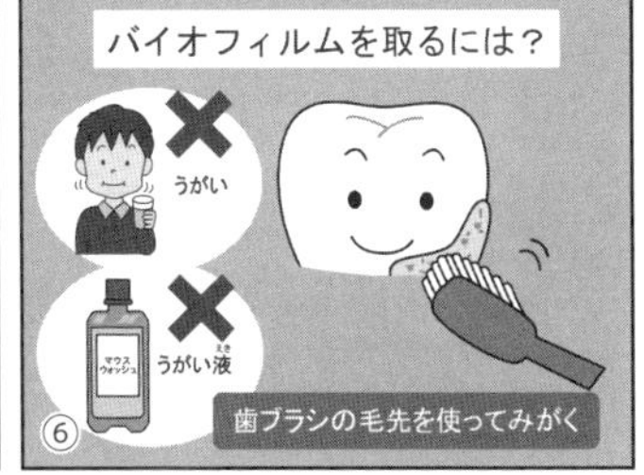

④さらにくわしくバイオフィルムの中をのぞいてみると、丸い形の細菌や棒のような形の細菌が活発に活動しています。ぬるぬるネバネバしていて、まさに、細菌ワールドです。

⑤そんなバイオフィルムは歯の表面だけではなくて、みなさんの身近なところにもたくさんあります。排水口が汚れてぬるぬるしているのを見たことはありませんか？　そのほかにもお風呂場やキッチンが汚れてぬるぬるしていたり、海や川の岩場がぬるぬるしていたら、それはバイオフィルム、細菌のかたまりです。

⑥口の中へ話を戻して、では、バイオフィルムはどうしたら取ることができるでしょうか？　バイオフィルムはぬるぬるネバネバしているので、うがいをしたりうがい液を使うだけでは、取ることはできません。歯ブラシの毛先を使って、細菌のかたまりをばらばらにして取ることが大切です。

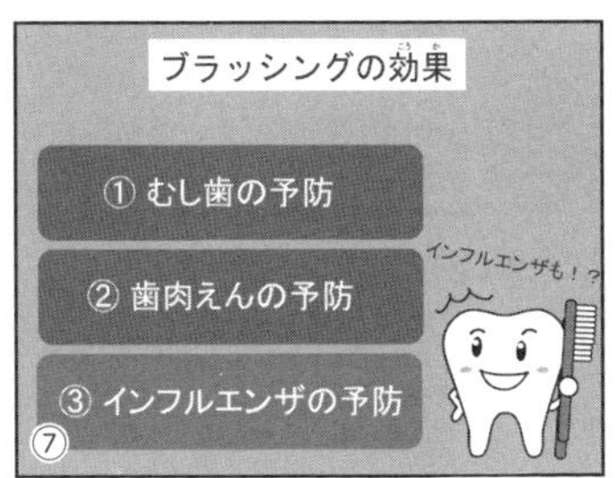

⑦しっかり歯みがきをして、バイオフィルムを取ることで、歯がむし歯や歯肉炎になるのを防ぐことができます。そして、なんと、丁寧に歯みがきをすると、インフルエンザの予防にも効果があることが分かってきたのです。

⑧毎年冬になるとインフルエンザが流行しますが、その原因はインフルエンザウイルスが体の中に入ってしまうことです。インフルエンザウイルスはとても小さくて、自分自身で生きていくことはできません。インフルエンザウイルスは口から喉の細胞の中に入ると、栄養をもらって数を増やしていきます。その結果、インフルエンザにかかってしまうのです。では、歯みがきとインフルエンザの予防には、どのような関係があるのでしょうか。

⑨口の中が汚れていると、バイオフィルムの細菌の中からインフルエンザウイルスの働きを助ける酵素が出ます。その正体は、プロテアーゼとノイラミニダーゼです。

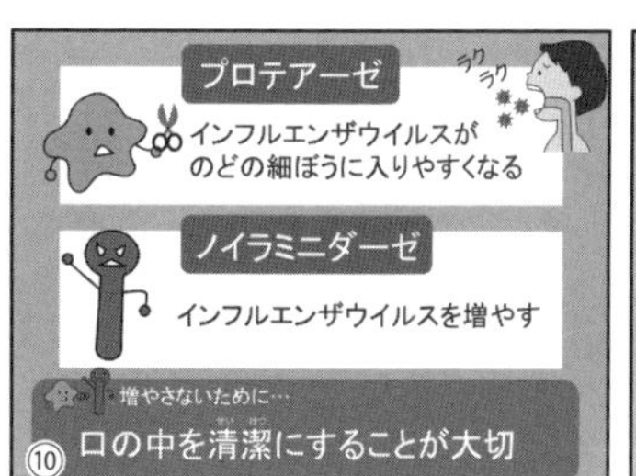

⑩プロテアーゼは、口から入ったインフルエンザウイルスが喉の細胞に入るのを助けます。ノイラミニダーゼは、喉の細胞の中でインフルエンザウイルスが増えるのを助けます。つまり、プロテアーゼとノイラミニダーゼが働くと、インフルエンザにかかりやすくなってしまうのです。これらの酵素は口の中が汚れていると発生するので、丁寧に歯みがきをして口の中を清潔にすることが大切です。

⑪正しく歯みがきをすることで、歯がむし歯や歯肉炎になるのを防ぎ、インフルエンザも予防できることが分かりましたね。バイオフィルムの正体を知って丁寧に歯をみがきましょう。鏡を見ながらみがくといいですね。

MEMO

コラム② 保健講話と児童（担任として）

静まりかえった講堂、１年生から６年生までの児童がパワーポイントに釘づけです。真剣に聞いているのは、児童だけでなく教職員も同様です。

これはある小学校での保健講話の様子です。保健講話をみんなが楽しみにし、学年の発達段階なりの理解をしています。

保健講話が児童等の心にどのように響いているのか、考えてみました。

1．プロからの言葉だから

児童にとって、学校医、養護教諭は特別な存在です。同じ言葉を担任が伝えても、学校医、養護教諭の言葉が一番染み入ります。保健講話や健康診断での学校医の先生方の話を児童はいつまでも覚えています。体のプロの学校医と、心と体そして児童の現状を理解している養護教諭、栄養士が連携し、何回も何回も確認し合ってできあがった保健講話は、どれほど児童の心を揺さぶることでしょう。

2．児童から広がる

保健講話で学んだことは、児童にとってすぐに実践しようと意欲づけられるものです。講話後、急に手洗いやうがいをはじめる児童、唾液を出すために試してみる児童、「体の中のこと聞いたでしょ、叩いちゃだめだよ」と友だちに注意をする児童が増えています。インフルエンザが流行しはじめても、児童は感染の仕方、インフルエンザの型、予防の方法など知識として理解しているので、冷静に受け止め、日々の努力をしています。

また、家庭で保護者に「こんなことを聞いた」と話す児童も多く、「子どもに注意されました」と連絡してくれる保護者もいます。学んだことをさらに家で調べてくる児童も少なくはありません。

3．管理職、担任も変化する

管理職や担任が子どものころに受けてきた保健の指導は限られていました。ですから教職員にとっても保健講話は新鮮です。講話後の放課後、職員室では保健講話の話題で盛り上がります。担任は学習面だけではなく健康面の大切さも十分理解していますが、具体的に話を伺うことで、日々の健康観察、保健の授業、給食時の児童の指導が変容し、養護教諭、保健主幹、栄養士そして学校医との連携が盛んになっていきました。

〈若手の養護教諭のみなさんへ〉

学校で養護教諭は一人のことが多いかと思います。毎日の児童の対応、健康診断、学校医の先生方の連絡など忙しいことと思います。本書を手にし、ご自分の学校でも保健教育や保健講話をやってみたいと思われた若手の養護教諭、保健主幹の先生方、少しずつでいいので、組織や管理職のみなさんに相談してみませんか。校内で児童の健康にかかわる養護教諭として自信をもって、やってみたいと思うことから一歩を踏み出してください。

③歯は幹細胞からできる

1 ねらい

・歯は幹細胞が起点となってできることを知る。
・幹細胞が長い年月をかけて細胞分裂、分化して歯ができることを理解する。

歯や周囲の組織は、上皮幹細胞と間葉系幹細胞という２つの幹細胞が、細胞分裂や分化によって、長い期間をかけていろいろな種類の細胞に変化してできることを知ってもらいます。また、幹細胞には体の健康を守るためや病気やけがを治す働きがあることなど、幹細胞についてより深く知ってほしいと思います。

2 指導の実際

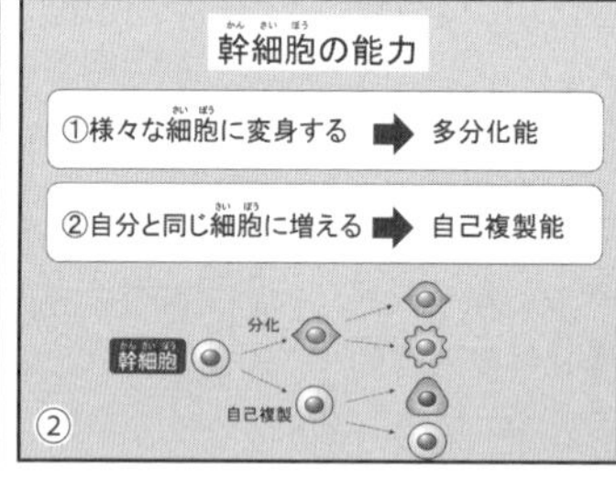

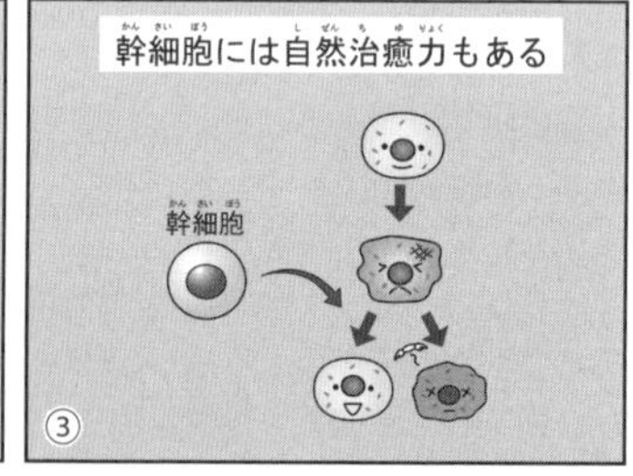

①今日のテーマは、「歯は幹細胞からできる」です。みなさんは、幹細胞という言葉を聞いたことがありますか？私たちの体は、約60兆個の細胞が集まってできていますが、その細胞の元になるのが幹細胞です。

②幹細胞には２つの能力があります。１つは体をつくる様々な細胞に変身する能力で、これを多分化能といいます。もう１つは、自分自身と同じ細胞をつくり出す能力で、これを自己複製能といいます。

③細胞には寿命があります。また、病気やけがをしても細胞はなくなってしまいます。その時、力を発揮するのが幹細胞です。幹細胞の働きで新しい細胞がつくられ、体は修復されて健康が守られています。幹細胞はまるでお医者様のようですね。

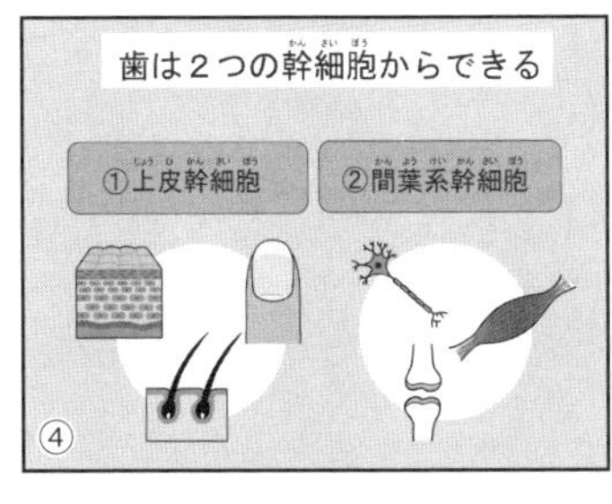

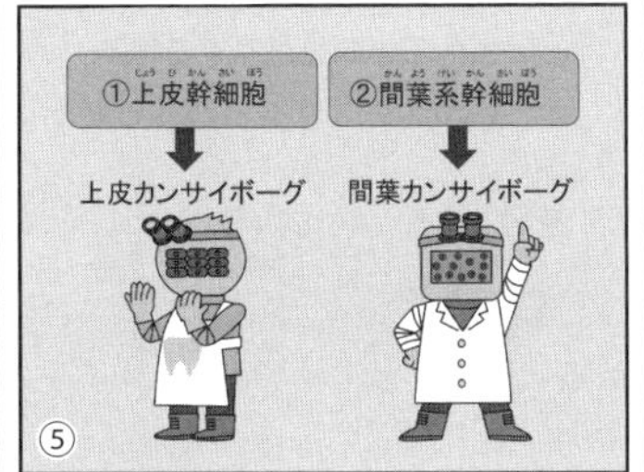

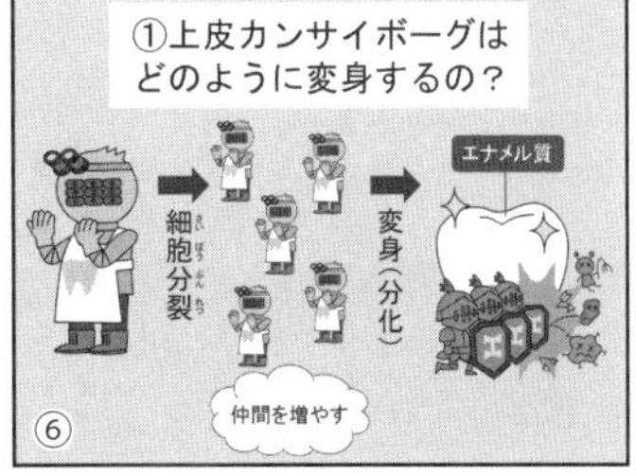

④それでは、これから歯がどのようにできるか、お話ししたいと思います。歯は、皮膚や爪、髪の毛などの元になる上皮幹細胞と、骨や軟骨、筋肉、神経などの元になる間葉系幹細胞という２つの幹細胞からつくられます。

⑤少し難しいですね。ここでは、上皮幹細胞を上皮カンサイボーグ、間葉系幹細胞を間葉カンサイボーグと呼んで、歯がどのようにできるのかお話ししたいと思います。先ほど、幹細胞はお医者様のようだとお話ししたので、上皮カンサイボーグと間葉カンサイボーグに白衣を着せてみることにします。

⑥まず上皮カンサイボーグから見てみましょう。上皮カンサイボーグは細胞分裂して仲間を増やし、歯の表面を覆うエナメル質に変身します。エナメル質は体の中で一番かたい組織で、そのかたさは水晶とほぼ同じです。

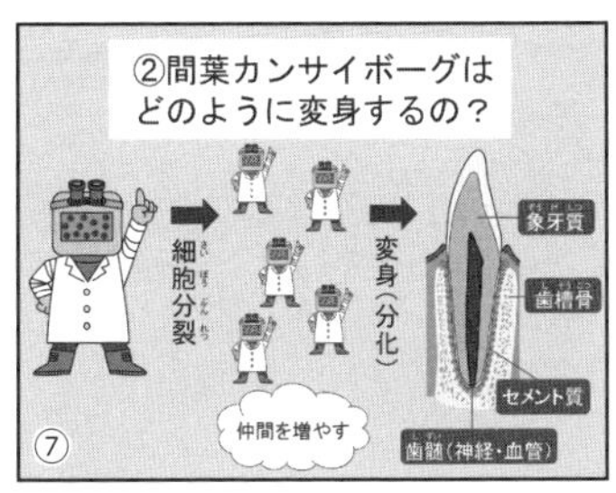

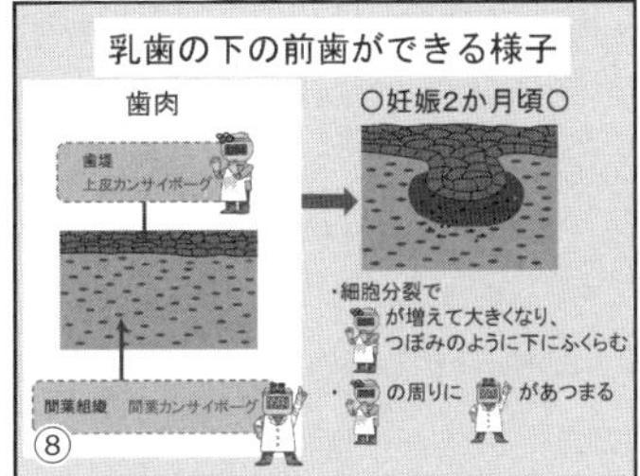

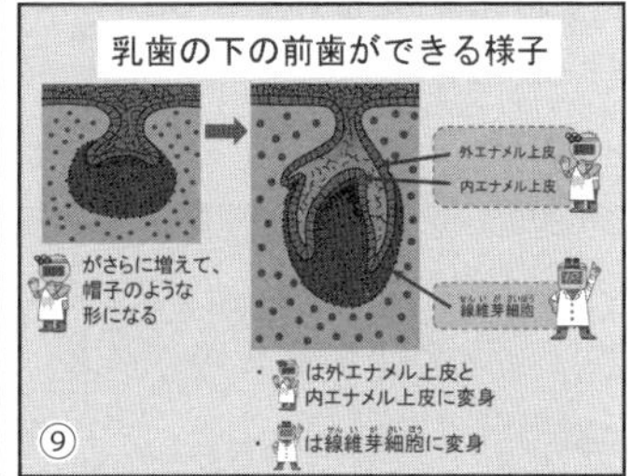

⑦間葉カンサイボーグは、細胞分裂して仲間を増やし、象牙質、セメント質、歯髄（神経・血管）、歯槽骨に変身します。

⑧では、歯が幹細胞からできる様子を乳歯の下の前歯を例に見てみましょう。これは歯肉のアップです。歯はまだありません。上皮カンサイボーグが石垣のように並んでいて、これを歯堤といいます。歯堤の下には間葉カンサイボーグがあります。妊娠２か月ごろになると、歯堤の中の歯がはえる部分で上皮カンサイボーグが増えて大きくなり、つぼみのようにふくらみます。その周りには間葉カンサイボーグがたくさん集まります。

⑨上皮カンサイボーグはさらに増えて帽子のような形になり、やがて、外エナメル上皮と内エナメル上皮に変身します。なんとなく歯の頭のような形に見えませんか？　実は、上皮カンサイボーグは、歯の形づくりを先導しているのです。そして、間葉カンサイボーグも上皮カンサイボーグの動きに合わせるようにして集まり、線維芽細胞に変身します。歯の中心となる神経や血管も発育します。

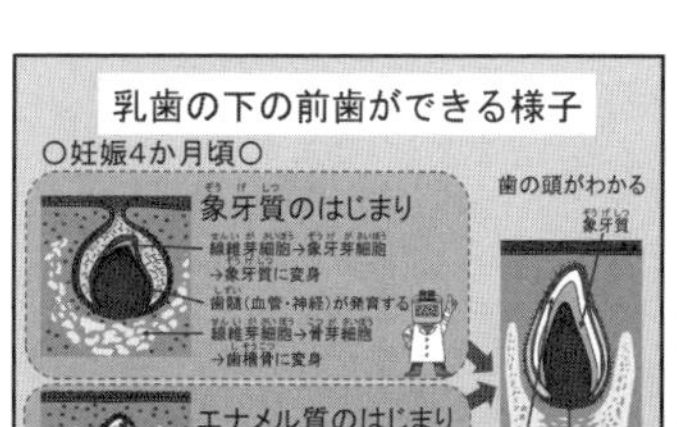

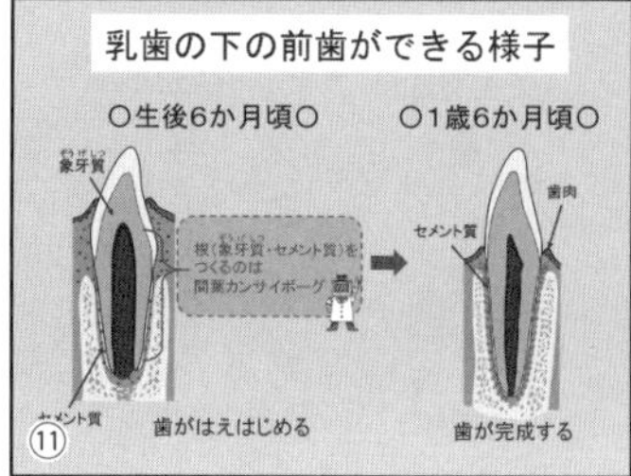

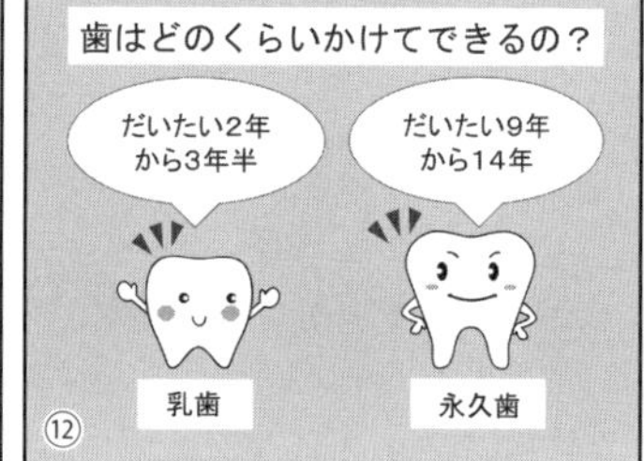

⑩妊娠４か月ごろになると、線維芽細胞は象牙芽細胞と骨芽細胞に変身します。これが象牙質のはじまりで、歯槽骨もはじまりとなります。さらに、神経と血管も発育して、歯髄となります。また、内エナメル上皮もエナメル芽細胞に変身し、これがエナメル質のはじまりです。このようにして、象牙質とエナメル質の一部が確認できるようになり、歯の頭のような形があらわれます。

⑪そして、生後６か月ごろから、歯がはえてきます。でも、まだ根の部分は完成していません。歯がはえた後、根の部分では内エナメル上皮と外エナメル上皮が結合して根の形を先導し、その動きに合わせるように間葉カンサイボーグが変身して、象牙質とセメント質ができます。そして、１歳６か月ごろ、ようやく根の先の部分もできあがって、乳歯は完成するのです。

⑫このように、歯はゆっくり時間をかけてつくられていきます。人によって違いはありますが、乳歯ではおよそ２年から３年半くらい、永久歯では、なんと９年から14年もの年月をかけてつくられるのです。

⑬今日は、歯が幹細胞からできることを学習しました。長い年月をかけてつくられる大切な歯がむし歯や歯周病にならないように、自分でできることは何かをしっかり考えて、毎日きちんとケアすることを心がけましょう。

コラム③ 中学生・高校生の口の中の関心ごと

思春期は学齢期に身につけた知識を実践し、また、心身の変化が大きい時期でもあります。そして、学齢期の積み重ねを成人期につないでいく時期でもあり、この時期の特性や発達段階を知ることは健康づくりを推進する上で重要です。

日本学校保健会は平成26年３月に『思春期の学校歯科保健推進委員会報告書』を発行しました。この冊子は、思春期の生徒が有する多様な健康課題の中で歯や口の課題を明らかにして、健康増進につなげることを目的にしています。全国357校の中学校、高等学校の協力のもと、約36,000名の中学生、高校生から質問調査票に対する回答を得て、集計、分析しました。質問調査票の中に、「最近口の中で気になることがありますか？」という設問があり、生徒の関心ごとが反映されています。なお、本調査では、思春期に発現すると考えられる意識に関する設問を加え、回答数に応じて思春期に関する意識特性を、Ａ(高い)、Ｂ(中等度)、Ｃ(低い)に分類しました。

口の中で気になることとして、中学生・高校生全体では「歯の色」、「歯ならび・かみ合わせ」、「むし歯」、「口臭」に関心が高く、女子が男子より、また、意識特性ではＡ、Ｂ、Ｃの順に高くなりました。「特になし」は男子が女子より、意識特性では、Ｃ、Ｂ、Ａの順に多くなりました。学校種別・性別にみると、中学生男子では「むし歯」(23.8%)、「歯ならび・かみ合わせ」(23.6%)、「歯の色」(21.1%)が高く、「口臭」は15.1%でした。高校生男子では「むし歯」(31.0%)、「歯ならび・かみ合わせ」(27.5%)、「歯の色」(25.9%)が高く、「口臭」は20.7%でした。中学生女子では「歯ならび・かみ合わせ」(36.4%)、「歯の色」(29.6%)、「むし歯」(28.8%)が高く、「口臭」は16.2%でした。高校生女子では「歯ならび・かみ合わせ」(40.1%)、「むし歯」(35.9%)、「歯の色」(34.3%)で、「口臭」は19.9%でした。

中学生、高校生は小学生に比べて、歯や口に関心が低いといわれています。生徒の関心が高い内容を中心に健康教育を展開することが効果的です。

〈参考文献〉

『思春期の学校歯科保健推進委員会報告書』(公財)日本学校保健会、平成26年３月20日

④幹細胞を知って　いつまでも元気に過ごそう

低学年　中学年　高学年　中学生　**高校生**　**保護者**

ねらい

・幹細胞についてその働き、種類などを知る。
・歯の中にある幹細胞の存在を知り、再生医療で活用されることを理解する。

人間の体は約60兆個の細胞でつくられており、細胞が寿命を迎えたり、けがや病気で細胞がなくなっても、幹細胞の存在で支えられています。しかし、自然修復力では治らない時に、幹細胞を利用する再生医療があり、IPS 細胞と同じように歯の幹細胞を利用することは有効な手段であることを理解してほしいと思います。

2 指導の実際

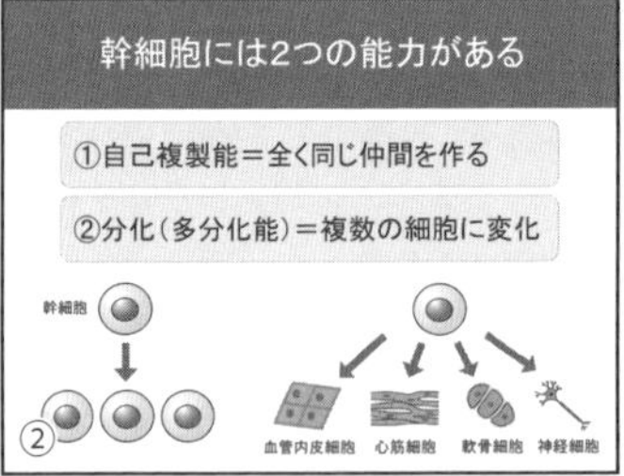

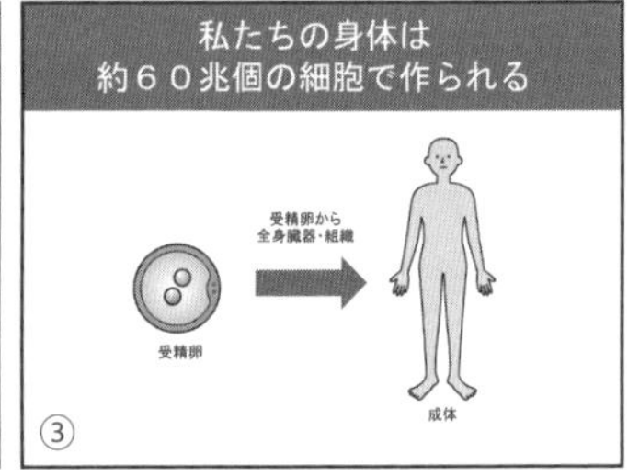

①今日のテーマは、「幹細胞を知っていつまでも元気に過ごそう」です。細胞の種、細胞の元のことを幹細胞といいます。今日はこの幹細胞についてお話ししたいと思います。

②はじめに、幹細胞の能力についてお話しします。幹細胞には 2 つの能力があります。 1つは、細胞分裂して同じ能力を持つ細胞に分裂する能力で、これを自己複製能といいます。もう 1 つは、私たちの体をつくる様々な細胞をつくり出す能力で、これを多分化能といいます。

③私たちの体は約60兆個の細胞でできています。そのはじまりは、たった 1 つの受精卵です。1つの受精卵が何度も細胞分裂を繰り返して数を増やし、様々な機能を持つ細胞に分化していき、 1 つの個体であるヒトが形成されます。

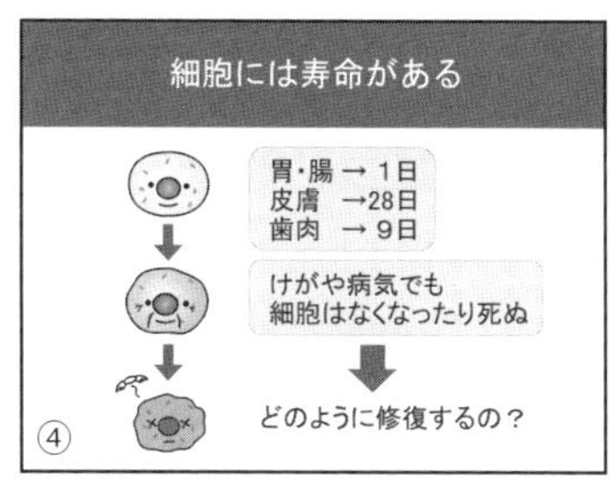

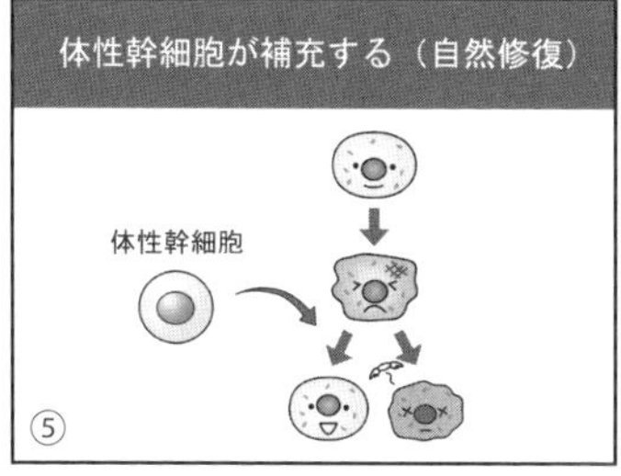

④細胞には寿命があります。胃や腸では１日、皮膚では28日というように、寿命はそれぞれ異なります。ちなみに、歯肉では９日です。また、けがや病気によっても、細胞は傷ついたり死んでしまいます。では、どのように修復するのでしょうか。

⑤細胞が寿命を迎えたり傷ついた時に活躍するのが、体性幹細胞と呼ばれる幹細胞です。体性幹細胞は私たちの体の中にもともとある幹細胞です。体のすべての部位に変身することはできませんが、筋肉や軟骨、肌など多くの種類に変身できます。それで、細胞が寿命を迎えた時に新しい細胞と入れ替わって修復したり、低下した機能が自然と改善されます。

⑥このほかに、自然に改善できない傷ついた臓器などを、幹細胞の修復力を利用して再生し、移植する医療があり、これを再生医療といいます。多分化能と自己複製能を備えた幹細胞には、再生医療での利用に大きな期待が寄せられています。

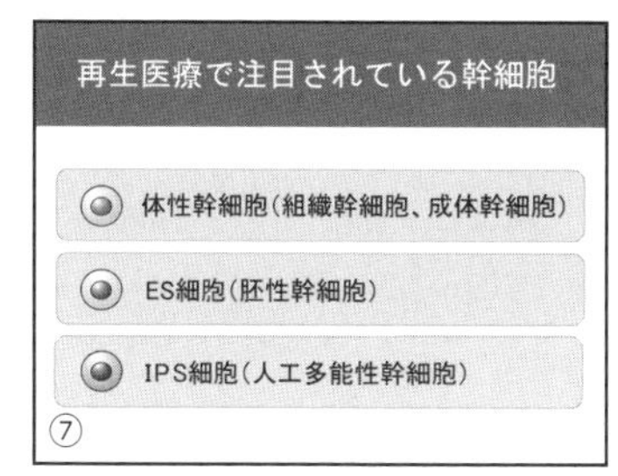

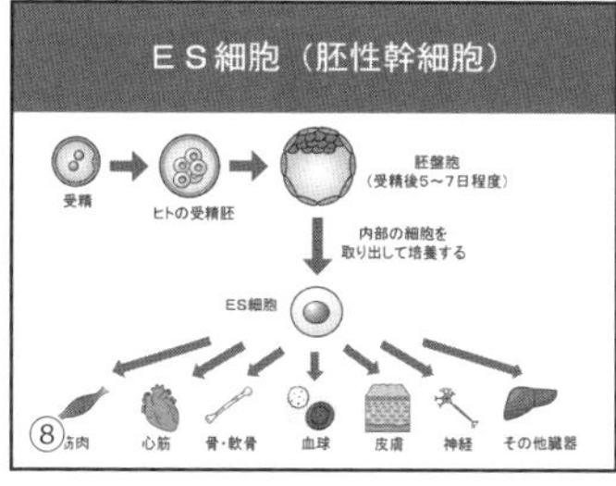

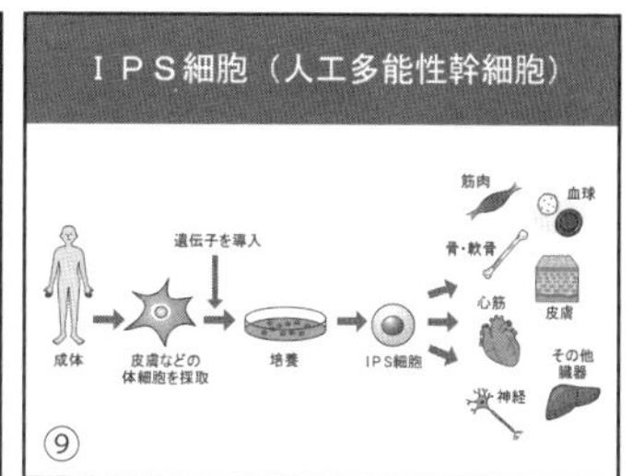

⑦現在、再生医療で注目されている幹細胞は大きく３種類あります。ヒトの体にもともと存在している体性幹細胞に加えて、受精卵から培養して作製するES細胞と、体細胞に遺伝子を導入してつくられるIPS細胞です。

⑧ES細胞は、受精卵が５～７日で100個ほどの細胞のかたまりとなった胚盤胞の内部の細胞を取り出して培養し、作製します。ヒトの体のあらゆる組織や臓器に分化する能力を持つ万能細胞ですが、生命の源である胚を壊して作製することから、生命倫理の問題が解決できず、再生医療への応用は現在進んでいません。

⑨IPS細胞は、2006年に京都大学の山中伸弥教授らが世界ではじめて作製に成功しました。この功績により、2012年に山中教授がノーベル医学・生理学賞を受賞したことは記憶に新しいですね。ヒトの皮膚などの体細胞にごく少数の因子（遺伝子）を導入し培養して作製する幹細胞で、ES細胞と同様の能力を持ちます。

ＩＰＳ細胞と体性幹細胞の違い

IPS細胞	相違点	体性幹細胞
遺伝子を使い人工的に作る	つくり方	患者自身の細胞を培養
ほぼすべての細胞	変化する力	複数の細胞
無限に増える（寿命がない）	増える力	無限に増えない（寿命がある）
現在はリスクあり	ガン化のリスク	リスクは極めて低い

⑩

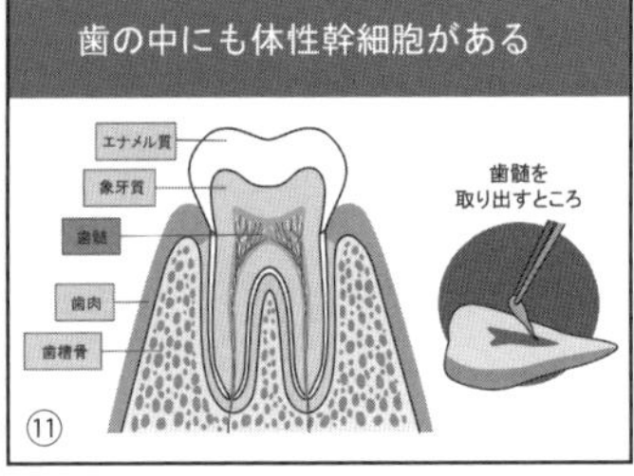

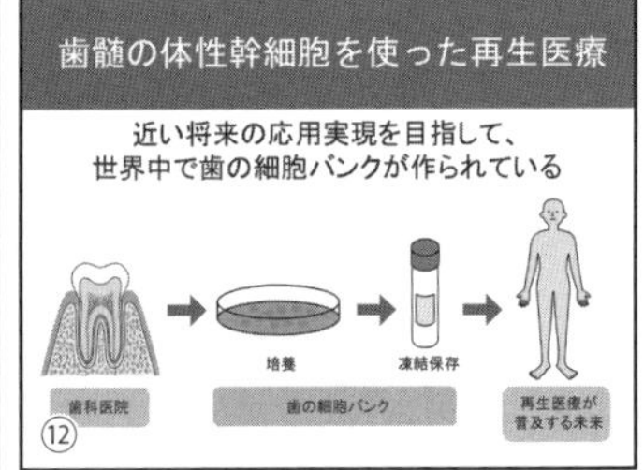

⑩このように、再生医療において注目されている幹細胞ですが、ES 細胞は倫理上の問題があることはお話ししました。IPS 細胞と体性幹細胞についても、表にあるように、それぞれ課題や問題点はありますが、もともと体の中にある体性幹細胞は、その効果や安全性の面から治療に応用しやすい幹細胞といえます。

⑪そしてなんと、歯の中の歯髄を通る静脈と動脈の周りにも体性幹細胞があるのです。この幹細胞の最大の特徴は、エナメル質などのかたい組織で囲まれているため、遺伝子が傷つきにくいことです。

⑫乳歯が抜けた時や親知らずを抜いた時にその歯を歯の細胞バンクに送り、そこで幹細胞を取り出して培養し凍結保存すれば、将来、けがや病気をした時、治療に応用することができると考えられ、現在、世界中で歯の細胞バンクが普及しているのです。

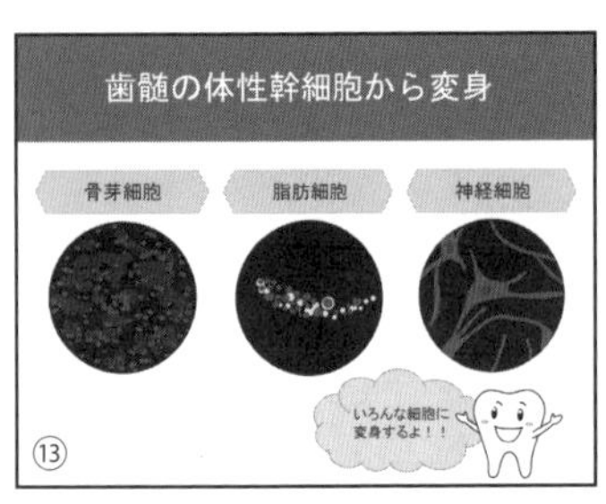

⑬歯から取り出した体性幹細胞は、骨芽細胞と脂肪細胞と神経細胞に分化します。骨芽細胞は骨をつくり、脂肪細胞はしわが増えた皮膚に入れたり、神経細胞は交通事故等で神経が傷ついてしまった場合に再生するなどして、それぞれ使用することを目指しています。今はまだ研究段階で実際には応用されていませんが、今後 3 年から 5 年後をめどに、実用化が検討されているようです。みなさんが大人になるころには応用できるかもしれませんね。

⑭今日は幹細胞の種類や働きと、歯から取り出す体性幹細胞による再生医療の可能性について学習しました。歯の幹細胞の質をさらによくするためには、歯を大切にすることはもちろん、バランスの良い食事や十分な睡眠をとるといった、規則正しい生活習慣を心がけることが大切です。自分の生活を見直していつまでも健康に過ごしましょう。

コラム④ アフリカの子どものかむ力

最近、「かむ」ことが大変注目されるようになってきました。その理由には、食べることの研究が大いに進んできたことと関係があります。以前は歯があればかめるのは当たり前だと思われてきましたが、かむ能力は自然に備わっている能力ではなく、成長期に学習されていくものだということが分かってきました。

かむ能力は、基本的なかむ力（咬合力といいます）が十分にないと能力がフルに発揮できません。この咬合力について、今から30数年前、ナイジェリア共和国（西アフリカ）に調査に出かけたことがあります。そこでアフリカの子どもたちの咬合力を測った結果がこのグラフです（図1）。

この結果では、アフリカ農村部の子どもの方が、都市部の子どもと日本人の子どもより咬合力が大きいことが分かりました。咬合力は第一に筋肉の力なので、人種（遺伝）によって変わります。アフリカのオリンピック選手には金メダリストが多いのも人種が違うからだといわれています。また、この調査で明らかになったことは、同じアフリカ人でも農村部に住んでいる人が都市部に住んでいる人よりも大きい咬合力があるということです。咬合力の大きさは住んでいる場所や生活習慣など環境の違いによっても異なることが示されました。その原因について考えられた主な点は、食物のかたさの違いと運動習慣です。

食物のかたさについて、アフリカ農村部では加工食品は少なく、肉などは加熱するのみで細かい加工は行わずそのまま食べます。牛は、餌となる草が十分に採れず痩せているので、肉はスジが多くかたくなります。鶏肉は、路地で育てられるため、よく運動するので、肉質はかためで日本の鶏肉よりかたくかみ応えがありますが、回数を重ねてよくかんでいるとうまみが出てきます。

生活習慣では、写真に見られるように、農村部では水道がないので毎朝毎夕、遠くの水場から飲み水を運んでくる必要があります（図2）。子どもたちは、毎日登校前にこの水汲みの仕事をしています。これによって農村の子どもたちは体を動かすことが生活の一部になっています。このような環境が基になって咬合力が違っていると思われるのです。

子ども時代の生活習慣を見直すことが、発育期の咬合力をよりよく育てることにつながると思います。

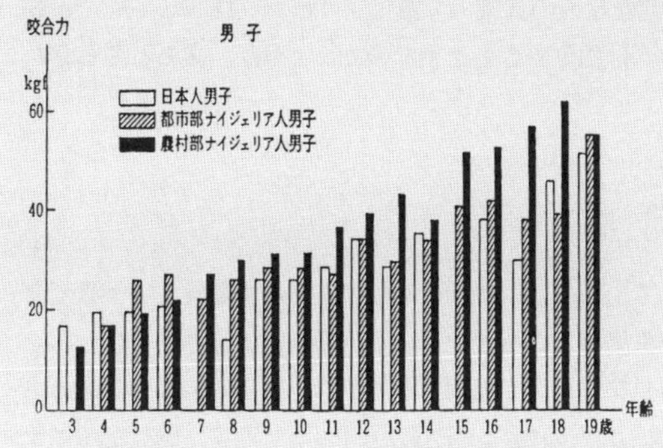

図1　日本人とナイジェリア人の咬合力比較（男子）
（小野芳明，1985）

図2　ナイジェリアの子どもたち

⑤歯周病ってなあに？

低学年 **中学年** **高学年** 中学生 高校生 保護者

1 ねらい

・歯周病という普段、症状を感じていない病気を理解する。
・歯肉炎の原因と解決法を知り、自分の歯や身体を大切にする。

歯肉炎は普段、自覚症状が少なく、痛みもないことを理解して、自分で自分の歯肉の状態を観察することで、歯肉炎があれば自分で気づくことができること、解決方法を知ること、自分で治せる病気であることを知り、放置すると大人になって困ることも理解してほしいと思います。

2 指導の実際

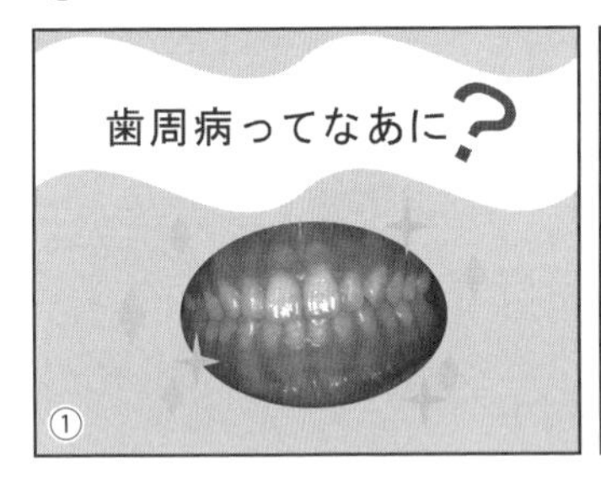

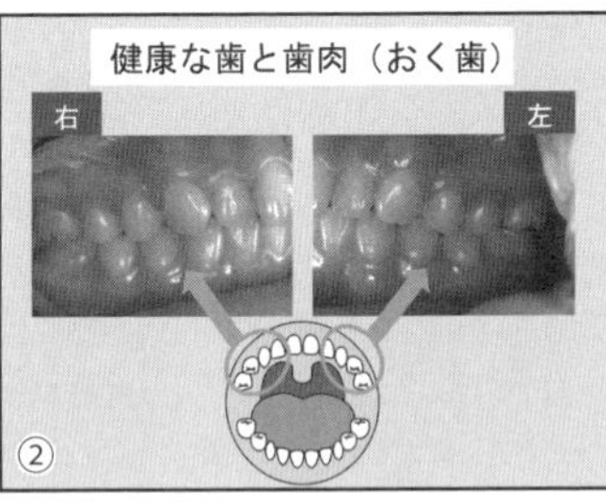

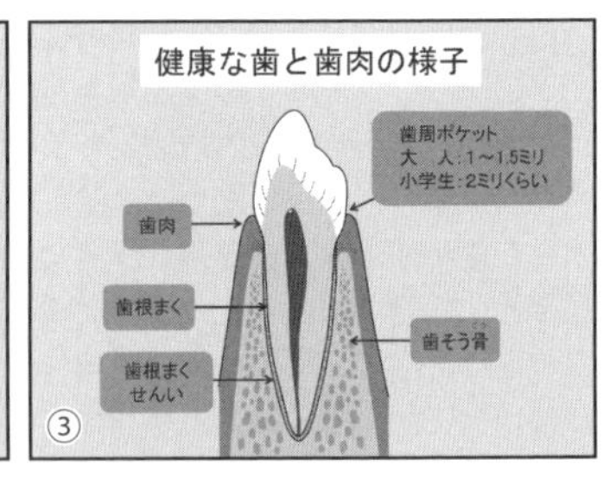

①今日のテーマは、「歯周病ってなぁに？」です。これは健康な人の歯肉の写真です。ピンク色をしていて、歯との境目も引き締まっていて、とてもきれいです。この人は歯みがきも上手なのでしょうか。歯もとてもきれいです。

②これは健康な人の奥歯と歯肉の写真です。きれいですね。

③健康な歯と歯肉をイラストで表してみました。歯を支えているのは、歯肉とその中にある歯槽骨という骨です。歯は、歯根膜を構成する歯根膜繊維という細かい繊維で歯槽骨とつながっていて、簡単には抜け落ちません。みなさんは、歯周ポケットという言葉を聞いたことがありますか？　歯周ポケットは、歯と歯肉の間にあるポケット状の隙間です。健康な人の歯周ポケットの深さは、大人の場合１ミリから1.5ミリです。みなさんはまだ歯がはえきっていないので、２ミリくらいまでなら健康です。

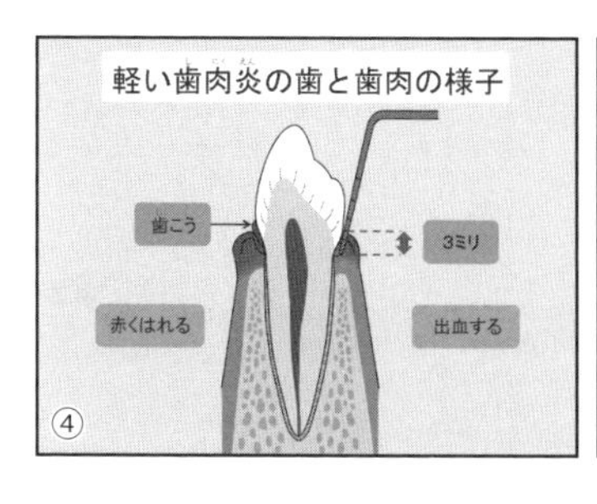

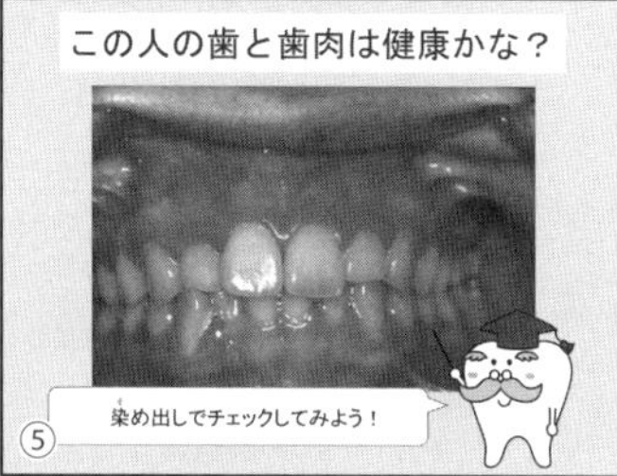

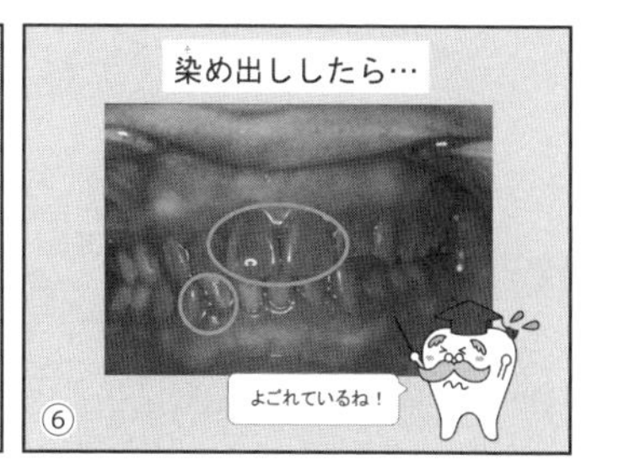

④これは、軽い歯肉炎にかかっている人の歯と歯肉の様子です。歯肉炎は、歯のはえ際や歯周ポケットに歯垢がたまって、歯周ポケットに細菌の膜ができ、歯肉に炎症が起こった状態です。歯肉炎になると、歯肉は赤く腫れます。また、出血もします。歯医者さんでは、歯周ポケットにものさしのような器具を入れて、深さをはかります。２ミリまでは健康でしたね。もし３ミリだったら、歯肉が腫れて歯肉炎になっているということです。

⑤それでは、みなさんに質問です。この人の歯と歯肉は健康でしょうか？　どこか汚れていませんか？　腫れているところはありませんか？（画面左下の犬歯に歯石がついている）これから、「染め出し」という方法で、汚れをチェックしたいと思います。

⑥染め出しをすると、みがき残しのあるところは赤く染まります。どうですか？　赤く染まっていますね。それに、左下の歯は歯肉も少し腫れていますね。見ただけでは汚れているか分からない場合でも、染め出し液を使ってみると、みがき残しがあることがよく分かります。このように、きれいにみがいたつもりでも汚れが残っていて、気づかない間に歯肉が腫れて歯肉炎になってしまう場合もあります。時々染め出しをして、きちんとみがけているかどうか確認するといいですね。

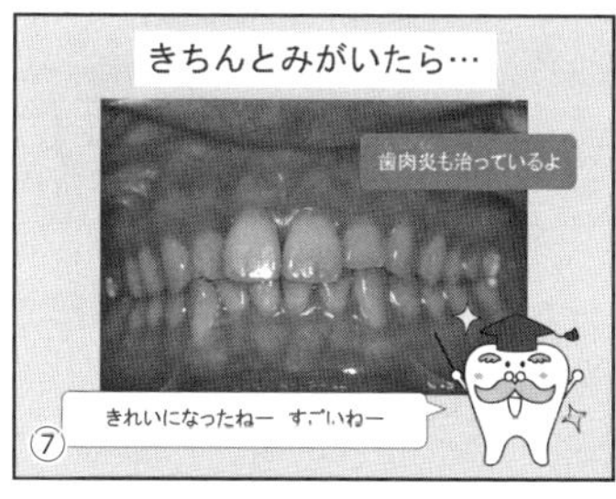

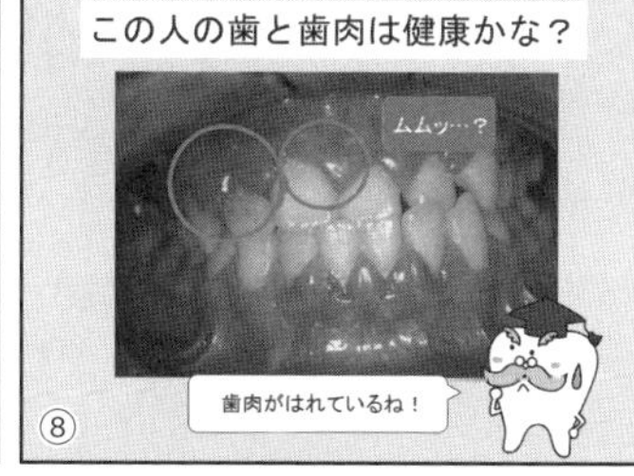

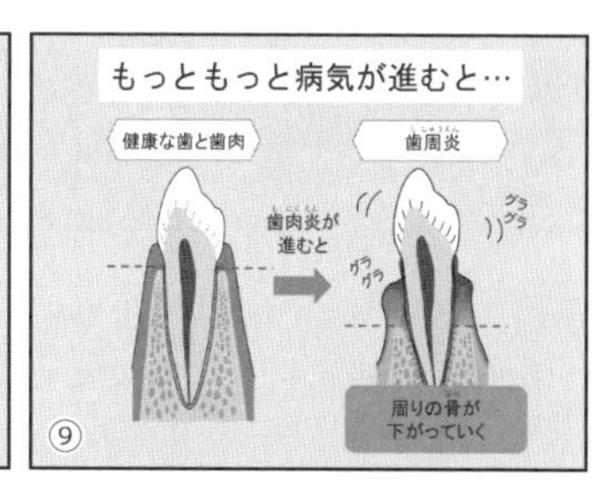

⑦染め出しして赤く染まったところを意識して、丁寧に歯みがきを続けたら、こんなに白くきれいになりました。歯肉の腫れも治まったようです。

⑧では、この人の場合はどうでしょう。歯の汚れも気になりますが、歯肉がずいぶん腫れて歯肉炎になっていることが分かりますね。歯肉は腫れていても痛みはあまり感じませんが、歯みがきをすると出血します。それに、ここまで腫れていると口臭も感じるはずです。

⑨歯肉炎は、放っておくと症状がどんどん進行します。その結果、歯周ポケットは深くなり、炎症もひどくなり、歯を支えている歯肉や歯槽骨が下がっていきます。このように、歯肉や歯槽骨に炎症がみられる状態を歯周炎といいます。

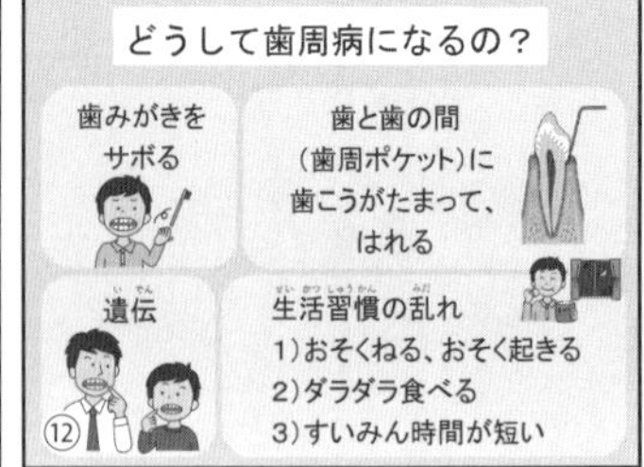

⑩歯肉に炎症がみられる歯肉炎と、歯肉炎がひどくなって歯槽骨にまで炎症がみられる歯周炎を合わせて、歯周病といいます。歯周炎は、歯槽膿漏ともいいます。

⑪歯肉が赤く腫れている、歯をみがくと出血する、歯が汚れていたり歯石がついている、口の中が臭いなどは、歯肉炎の症状です。そのうえ、歯がグラグラしていれば歯周炎で、重度の歯周病です。

⑫では、どうして歯周病になってしまうのでしょうか。きちんと歯をみがかないと、歯と歯肉の間に歯垢がたまって歯肉が腫れて歯周病になります。遺伝の場合もあります。それから、毎日遅くまで起きていて朝きちんと起きられなかったり、食事の時間を決めずにだらだらと食べていたり、睡眠時間が短いといった生活習慣の乱れも、歯周病の原因になります。

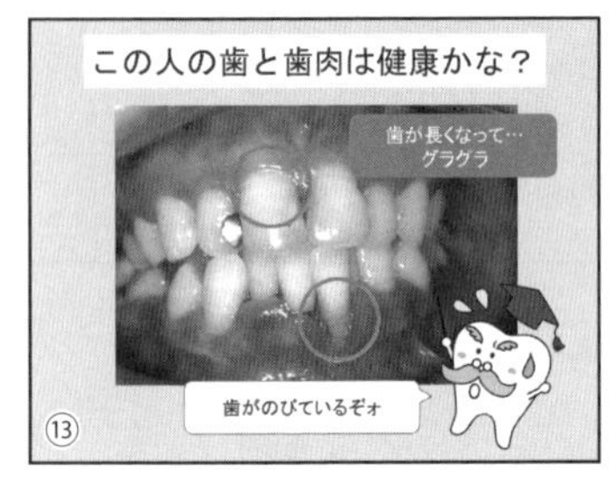

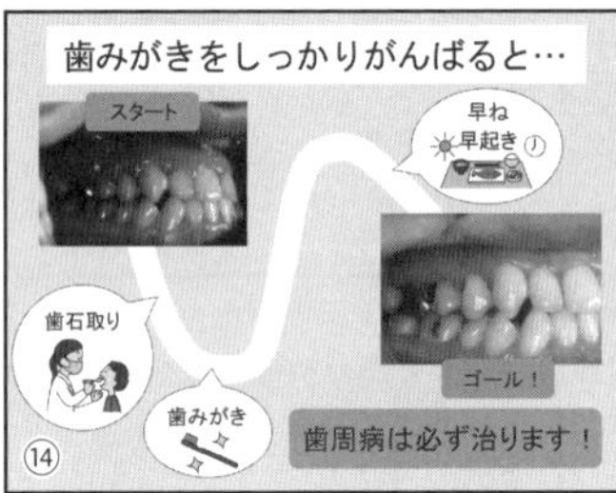

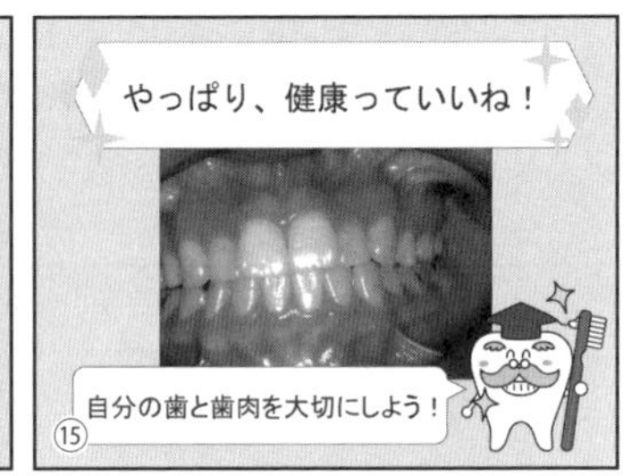

⑬この写真を見てください。下の前歯がずいぶん長く見えますね。歯根が 3 分の 2 以上出てしまっている状態で、重度の歯周病です。ここまで放っておくと、歯はグラグラして、やがて歯を失ってしまうことになります。

⑭でも、小学生や中学生、高校生くらいまでなら、歯医者さんで歯石を取ってもらったり、歯みがきの指導を受けて自分で歯みがきを頑張ったり、早寝早起きを心がけるなど生活習慣を見直すことで、歯周病は必ず治ります。

⑮今日は歯周病について学習しました。みなさんは小学生だから、歯周病は自分で治すことができることが分かりましたね。丁寧に歯みがきをすることや規則正しい生活習慣を心がけて、自分の歯と歯肉を大切にしましょう。

コラム⑤ 特別支援学校・学級の児童生徒の偏食拒食

特別支援学校・学級の児童生徒は、障害の種類や程度と発育段階に応じた、歯・口の健康と心と体の健康づくりを目指しています。それらを通じた健康意識や健康行動の変容を促し、自らの力を最大限に発揮させ、自立に向けた態度や習慣を身につける学習を行っています。そのような中に給食における偏食・拒食の改善があります。

1．偏食の主な原因

自閉症スペクトラム（ASD）児、知的障害児、ダウン症児、染色体異常児の中には、強弱はあるもののこだわりから同じ食品しか食べない、口の中での食感から受けいれられる食物しか食べないなど、かなりの偏食がみられます。これまでの報告から偏食の主な原因は以下のようにまとめることができます。

（1）感覚へのこだわり

①食材の硬軟、粘度、乾燥度などの食感（触覚）
②食材そのものの味覚や2種以上の味が混ざる味覚
③食材の香り、香辛料の香り、調理の香りなど鼻先香、戻り香などの嗅覚
④食材や調理の色や形などの視覚
⑤ガリガリ、パリパリ、シャキシャキなどの骨伝導音からの聴覚

これら五感の1つ又は複数の感覚過敏によるものが原因となります。

（2）想像力や過去に口にした記憶などから、色・形などの見た目へのこだわり
（3）食事の場の光、音、周囲の人など食場面への不適応や食器具などの材質、形、色などの食環境
（4）摂食嚥下機能（捕食、咀嚼、食塊形成など）の未熟

2．養護教諭、学校栄養士、担任教諭の支援方法の基本

摂取食材内容と偏食について、感覚偏倚や発達レベルなどを参考にした対応のみならず、食行動全体を含めた以下のような偏食への支援や指導を、給食の場を通して行う必要があります。

・食事時の偏食に特化した行動を叱るより、食事時の良い行動に着目して褒めるという「ポジティブな食事支援」を基本とする。
・偏食を悩む場面はなるべく見せずに、食品を受け入れた時にその行動を褒める。
・一食品でも食べられたらハードルを下げて褒めるルールを明確にする。
・子どもも親も一緒になって食事を楽しみながら、得意な食行動を伸ばして不得意な部分（偏食など）をカバーする対策を立てる。
・食材の調理過程を可視化するなど、能動的に食材への対応を促す。
・極度の偏食は、栄養の偏りや肥満、痩せなどに注意が必要で、栄養面のサポートも必要である。
・他の児童生徒とのかかわり方（集団での給食）など食環境への配慮も必要である。
・機能発達との関連からは、離乳期を経験してから後に偏食が強くなったか、哺乳期（乳首へのこだわり）・離乳期（離乳食）の時から偏食があったのかにより、機能要因への支援の必要性の有無を判断して対応する。

〈参考文献〉

向井美惠：「発達障害児の摂食特徴とその支援」『発達障害医学の進歩』日本発達障害連盟、2019年

⑥大人の歯の秘密を知って むし歯ゼロへ

低学年 中学年 高学年 中学生 高校生 保護者

1 ねらい

・新しい永久歯がはえてくるこの時期、何が起きているか理解する。
・子どもの能力に応じたみがき方を知る。

保育園、幼稚園では昼食後の歯みがき時間がありますが、小学校に上がるとほとんどの学校で歯みがきは行われていません。はえたての永久歯の性状、みがきづらさからむし歯ができやすい時期でもあり、実際、大切な第一大臼歯がむし歯になっているので、６歳むし歯と呼んで注意を促しています。小学校に入ったら、仕上げみがきは今まで以上に必要となり、子どもの能力に合わせたみがき方を知ってほしいと思います。

2 指導の実際

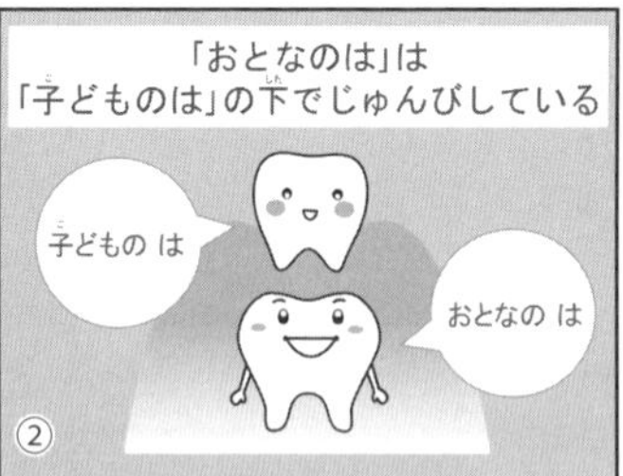

①今日のテーマは、「大人の歯の秘密を知ってむし歯ゼロへ」です。歯には、「大人の歯」と「子どもの歯」があって、どちらもエナメル質というかたい組織で覆われています。少しクリーム色をしていて、一生使う大切な歯が、大人の歯です。

②「大人の歯」は「子どもの歯」の下にあって、はえる準備をしています。５、６歳ごろから「大人の歯」が出てくると、「子どもの歯」は「大人の歯」が出やすいように足の部分（歯根）がなくなり抜けて、「子どもの歯」は「大人の歯」にはえ変わります。

③「子どもの歯」がはえ変わる以外に、新しくはえてくる「大人の歯」があります。それは、小学校１年生になる少し前から２年生にかけて、子どもの歯の一番奥にはえてくる歯で、これを第一大臼歯といいます。６歳ごろにはえるので、「６歳臼歯」ともいいます。

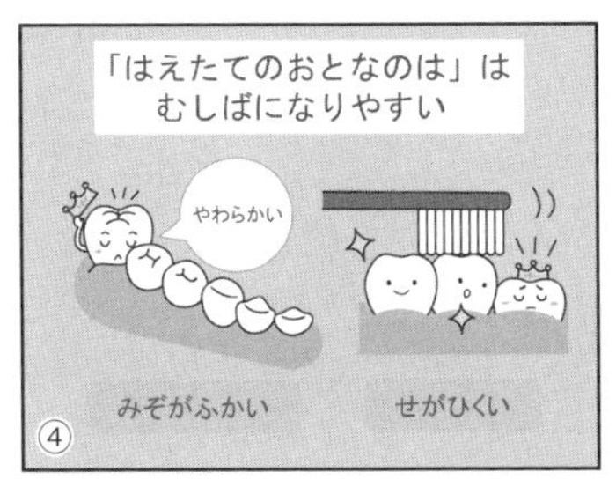

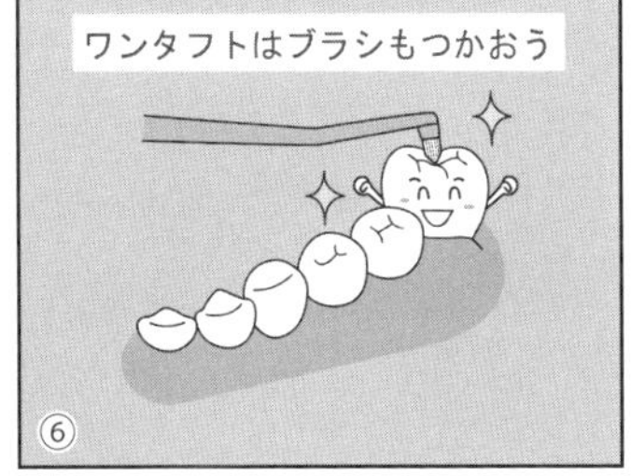

④６歳臼歯はとても大切な歯ですが、残念なことに、はえたばかりの６歳臼歯はむし歯になりやすい歯です。それは、はえてすぐの大人の歯はやわらかくて溝が深いからです。そのうえ、はえたてのころはほかの歯と比べて背が低いので、歯ブラシが届きにくく、汚れがたまってしまうからです。

⑤「６歳臼歯」だけでなく、はえてすぐの大人の歯をむし歯にしないためには、どうしたらよいでしょうか？そう、歯みがきをすることです。歯ブラシを上手に使って、はえてすぐの大人の歯がむし歯にならないようにみがくことが大切です。歯ブラシを持っていない方の手で、歯ブラシを持っている方のひじを体にくっつけるようにしてみがくと、歯ブラシがグラグラしないのでみがきやすいです。鏡を見ながらみがくのもおすすめです。工夫してしっかりみがきましょう。必ずおうちの人に仕上げみがきをお願いして、チェックしてもらってください。

⑥また、歯ブラシだけではみがききれないところは、ワンタフト歯ブラシを使うときれいにみがくことができます。仕上げみがきの時などにワンタフト歯ブラシを使って、歯ブラシでは取りにくいみがき残しを取るようにするといいですね。

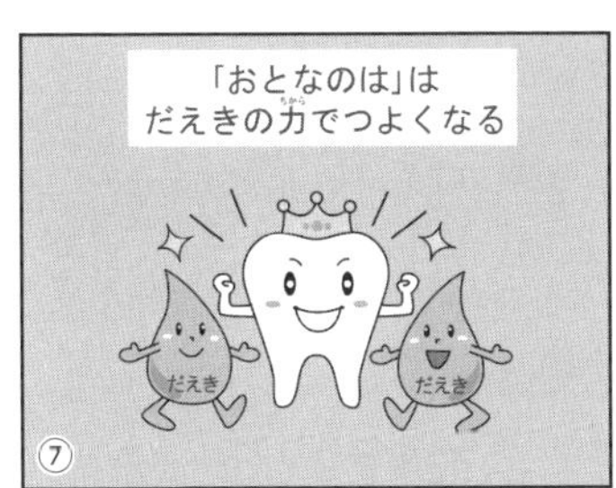

⑦それからもう１つ、はえたての「大人の歯」が、立派な「大人の歯」に成長する秘密があります。それは、つばの力です。つばはだ液ともいって、歯が強くなるために必要ないろいろな物質を含んでいます。

⑧歯の表面は、エナメル質というかたい組織で覆われていることは先にお話ししましたね。エナメル質は歯をばい菌から守っていますが、ここで登場するのが、エナメル質をつくっている、ハイドロキシアパタイトのハイド君とフルオロアパタイトのフルオ君です。

⑨はえたての「大人の歯」のエナメル質は、ハイド君でできています。ハイド君は、歯を溶かす酸に対してあまり強くありません。ハイド君は、だ液に含まれるフッ素という物質と出会うと、フルオ君に変身します。フルオ君は酸にとても強いです。それで、むし歯になりにくい立派な「大人の歯」に成長するのです。

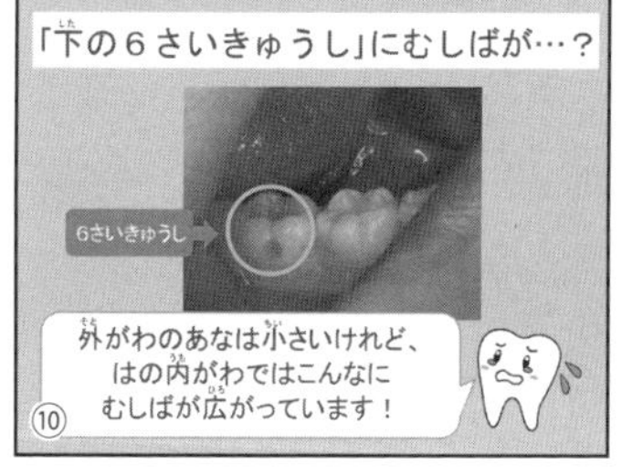

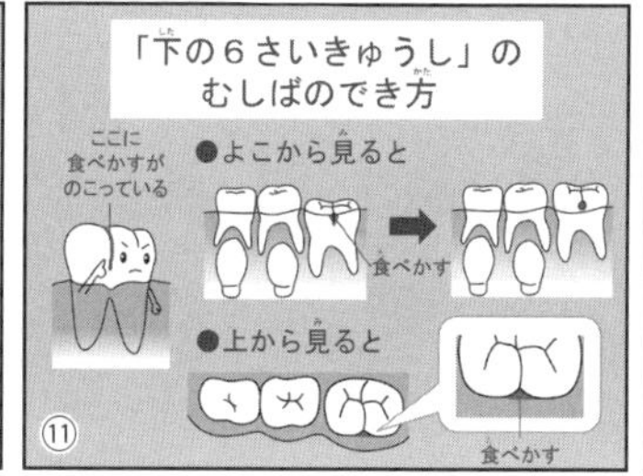

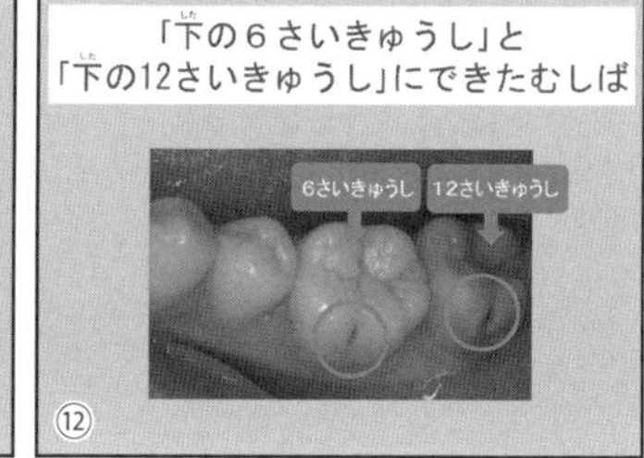

⑩みなさん事件です！　下の６歳臼歯の頬っぺた側にむし歯ができています！　外から見えるのは小さな穴ですが、かたいエナメル質の内側の象牙質はやわらかいので、削ってのぞいてみると、こんなに広がっています。どうしてこんなところにむし歯ができてしまったのでしょう？

⑪その理由は、むし歯ができはじめた「時間」にあります。実は、下の６歳臼歯の頬っぺた側には、深くて大きな溝があって、食べかすが詰まりやすく、みがきにくいです。歯がはえるまでには長い時間がかかるので、その間にむし歯になってしまったのです。

⑫これは、高校生のお兄さんの下の奥歯の写真です。６歳臼歯の奥には、12歳ころにはえてくる「12歳臼歯」と呼ばれる歯もはえています。下の12歳臼歯も下の６歳臼歯と同じように、頬っぺた側に溝があるのですが、どちらもむし歯になっていますね。小学生では、下の６歳臼歯のむし歯がいちばん多くて、中学生では下の12歳臼歯がいちばんむし歯ができやすいです。それで、６歳むし歯、12歳むし歯ともいわれています。下の６歳臼歯と12歳臼歯がはえるころは、特に注意してしっかり歯みがきをすることが大切です。

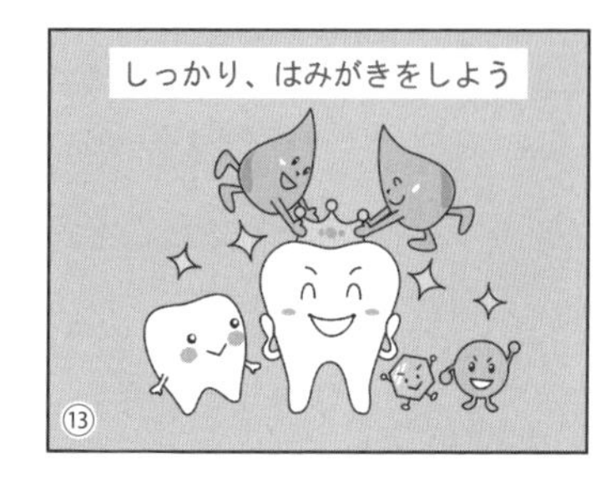

⑬今日ははえたての「大人の歯」の秘密を紹介しました。「大人の歯」はみなさんが一生使い続ける大切な歯です。これからもしっかり歯みがきをして、大切な歯を守りましょうね。

コラム⑥ 歯・口の安全にも目を向けよう！

平成16年に発刊した文部省（当時）の参考資料『生きる力をはぐくむ学校での歯・口の健康つくり』にはじめて登場した視点が「歯・口の安全」です。背景には、近年、子どもが歯を失う原因はむし歯や歯周病ではなく、外傷によるものがほとんどという状況を踏まえてのものです。

とりわけ、中学校、高等学校での学校管理下での障害見舞金を支給した事故件数の中では、体育・スポーツ活動（体育・保健体育科の授業、体育的学校行事及び運動部活動）における歯牙障害と眼の障害が圧倒的に多くなっています。

体育・スポーツ活動の事故の発生要因は、図3に示す通り、主体（人）の要因と環境の要因という一般的な事故の要因と運動の要因（運動の内容、質、時間、休憩や給水など）に、用具の要因（用具の破損や故障、不適合、安全保護具の使用等）を加えた4要因と、そのすべての要因に指導者の要因（事故防止に関する知識、危機管理意識等）がかかわりあって起こります。教師や指導者は、これらの要因を踏まえ、危険予測と危険回避の能力育成を目指した指導と、子どもとのコミュニケーションや関係者の協働によって、歯・口の障害（と傷害）を防ぐ努力がますます大切になってきます。

また、児童虐待の兆候が歯・口の状態に表れることも指摘されています。今後、歯科保健の関係者は、むし歯や歯周病予防を基本としながらも歯・口の安全にも注意を向け、子どもの生涯にわたるQOL（生活の質）の向上に目を向けていくことが求められています。

〈参考文献〉

『生きる力をはぐくむ学校での歯・口の健康つくり』文部省、平成16年

『令和元年度　学校における体育活動での事故防止対策推進事業成果報告書』（独）日本スポーツ振興センター、令和元年

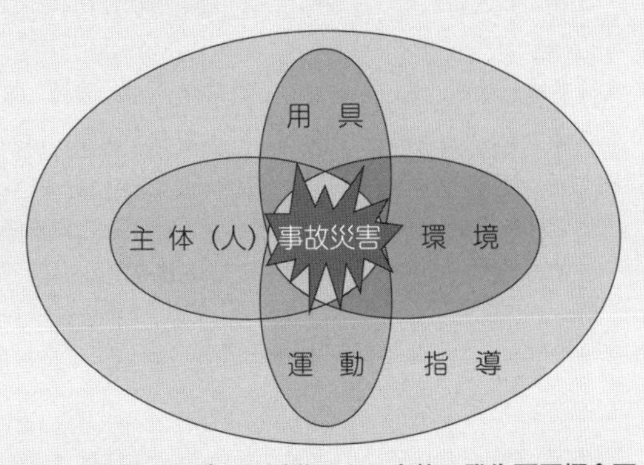

図3　体育・スポーツ活動による事故の発生要因概念図

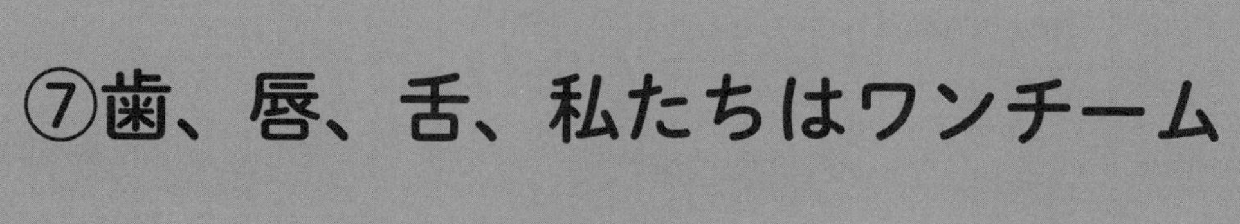

⑦歯、唇、舌、私たちはワンチーム

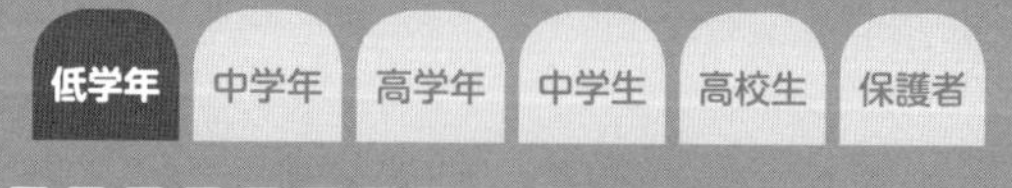

1 ねらい

・口の働きは歯、唇、舌が協力して動くことにより機能していることを理解する。

歯、唇、舌だけでなく、どの体の一部が欠けてもうまく機能しなくなることが多いです。口には多くの働きがあります。きちんと発達させて十分に使いこなし、手入れをする習慣を身につけてほしいと思います。

2 指導の実際

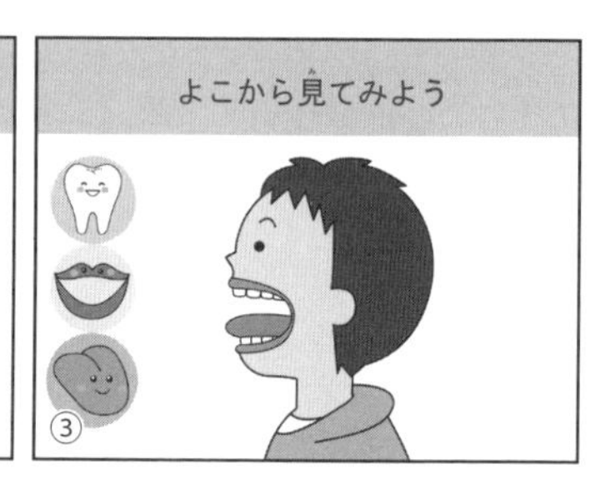

①今日のテーマは、「歯、唇、舌、私たちはワンチーム」です。歯、唇、舌は口の中にある体の部分です。口には、食べ物を食べたり、話をしたりする働きがあって、きちんと働くためには、歯（顎）、唇、舌のチームワークがとても大切です。今日は、歯、唇、舌がどんなふうに動いているのかお話しします。

②まずはじめに、歯、唇、舌がどこにあるか、確認しましょう。口の入り口には唇がありますね。唇の内側に歯があって、口の中に舌があります。左右の側面には頬っぺたがありますね。

③口を横から見てみましょう。歯と唇と舌がどこにあるか分かりますね。それでは、食べ物を食べたり話をしたりする時、口はどのように動いているのでしょうか。

④食べる時の口の動きを見てみましょう。食べ物が口に入ると、唇は閉じて食べ物を取り込みます。

⑤次に、取り込んだ食べ物を、歯がかみ切ります。この時、唇は閉じたままでかむことが大切で、食べ物を歯でよくかみ砕いてだ液としっかり混ぜ合わせます。

⑥口を閉じないで友だちとおしゃべりしながら食べると、あやまって舌や唇をかんでしまうことがあります。それに、くちゃくちゃと食べ物をかんでいる音がしたり、口の中が見えたりして、周りの人が嫌な気分にもなります。マナーを守ることは大切ですね。

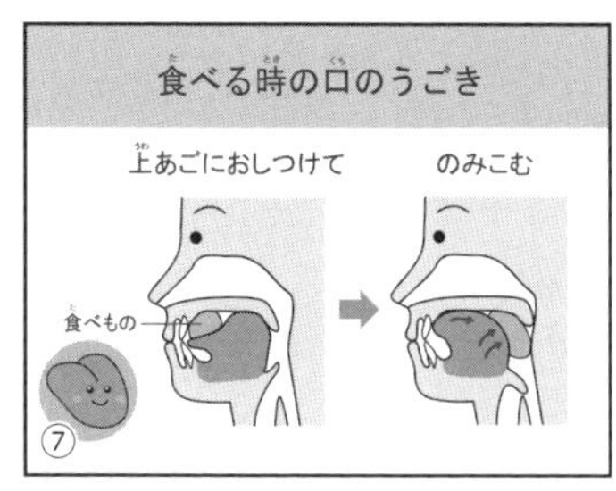

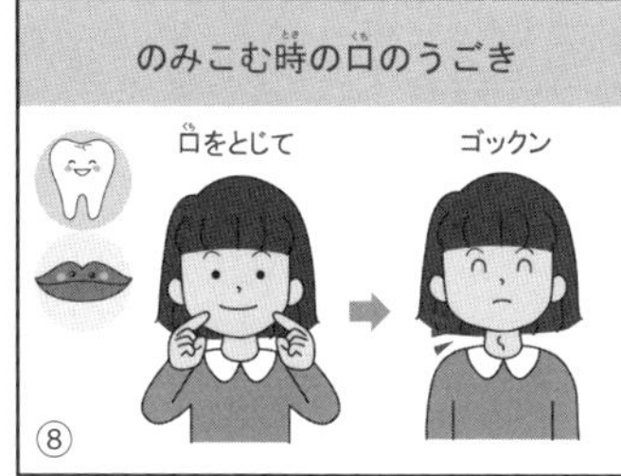

⑦歯でかみ砕かれた食べ物は口の中に広がっています。ここで活躍するのが舌です。舌は口の中に広がった食べ物を集めてかたまりをつくると、舌の真ん中にその食べ物のかたまりを置いて、舌の先を上顎に押しつけてかたまりを喉に送ります。それで、飲み込むことができます。

⑧飲み込む時、舌がうまく動くためには、歯はかみ合わさり、唇は閉じていることが大切です。

⑨それに、歯でよくかみ砕いてだ液と混ざり合った食べ物でないと、飲み込む時、喉につまったりして危険です。

⑩口の中に傷があったり口内炎があると、口が痛くて舌をうまく動かすことができません。それに、様々な病気が原因で口に麻痺があると、食べ物をこぼしてしまったり、うまく食べることができません。食べ物をおいしく食べて栄養をしっかり取り込むために、歯と口の健康は欠かせませんね。

⑪では、話をする時はどうでしょう。口は話をするためにも大切な部分で、歯がないと空気がもれてしまって、うまく声になりません。それに、唇や舌を正しい位置で上手に使えないと、きれいな音ではっきり話すこともできません。食べる時も話す時も、歯、唇、舌が正しく動くことが大切なのですね。

⑫今日は歯、唇、舌の動きについてお話ししました。口にはたくさんの働きがあって、うまく働くためには歯と口の健康は欠かせません。毎日しっかり歯みがきをして、歯と口を大切にしましょう。

MEMO

コラム⑦ 歯と顎の話

普段、皆さんは何気なく食事をしていると思いますが、物を食べるには、上下の歯だけでなく、顎の関節と筋肉が使われています。歯と筋肉と関節のバランスが取れて、おいしく食事ができるわけです。むし歯で歯が痛くなった時と同様に、顎の筋肉や関節が痛くなったり、口が開かなくなると食事が上手くできなくなります。このように、顎が痛い、口が開かない、顎が鳴るなどの症状を示す病気で多いのは顎関節症です。顎関節症の患者さんは最近増えているといわれていますが、成人の顎関節症と小児の顎関節症は分けて考える必要があります。これは、小児の顎関節症の背景には「成長発育」が存在するためです。

小児の歯列の発育を考えると、幼児期（3-5歳）は乳歯列期、小学児童期（6-12歳）は混合歯列期（歯の交換期）、中学生徒期（13-15歳）は永久歯列形成初期、青年期（16-18歳）は永久歯列完成期となり、歯の交換と永久歯の萌出に併せた顎の骨や顎関節においても成長発育の変化をしています。小児期の顎関節症の特徴は、幼児期、小学期では顎関節音が多く、中学生徒期、青年期では、顎関節音と痛みを複合する場合が多いことですが、多くは、成長発育に助けられ、自然に治るといわれています。

顎関節症となる原因は、歯の交換期においては、かみ合わせのバランスの悪さが要因となることもあり、永久歯列完成期に残存したかみ合わせの問題が顎関節症を悪化させることもあります。またすべての時期に共通しているのは習癖です。これは成人でも同様ですが、顎の関節や筋肉に負担がかかるような習癖があると顎の関節がズレたり、筋肉が緊張して顎関節症になりやすいといわれています。１日の中で上下の歯が接触しているのは20分程度です。無意識に歯を合わせる癖があると顎や筋肉に負担がかかりすぎてしまいます。また、寝る時にうつ伏せや片側だけを下にして寝る、頬杖、片方だけでかむ、指しゃぶり、舌を突出させる、爪をかむ、歯ぎしりなども同様です。また、顎が鳴るようになった時に、気になって頻繁に顎を鳴らしていると、それが癖になり、顎が痛くなったり、口が開かなくなることにつながります。

小児の顎関節症のほとんどは自然に治る場合が多いのですが、中には悪化、慢性化する場合もあります。顎が痛い、顎が鳴る、口が開かないなどの症状に気がついたら、まず以上のような習癖がないかどうか確認し、改善を試みてください。症状に気がつき２週間ほど様子をみて改善しないようなら歯科医師に相談してください。通常は、顎の関節、筋肉やかみ合わせの検査を行い、習癖に対する指導、運動療法といって顎の体操のようなことの指導、顎の負担を軽くするためのマウスガードのような装置をつくることもあります。おいしく食事を楽しむためには歯だけでなく顎の筋肉や関節も悪くならないように気をつけることが大切です。

⑧歯周病と全身疾患

1 ねらい

- 歯周病の原因を理解する。
- 歯周病菌とその産生物が全身の各臓器でどんな悪影響を及ぼすかを探る。
- 歯周病は生活習慣病であることを理解する。

人間にとって口腔は最初の入り口であり、すべては口腔からはじまるといっても過言ではない大切な臓器です。歯周病は口腔だけにとどまらず、全身疾患と深い関係があることが解明され、口腔の健康と全身の健康は相互に強く結びついていることが分かってきました。歯周病も生活習慣病の１つであり、生活習慣の改善は現代人の疾病予防の大きな課題であることを理解してほしいと思います。

2 指導の実際

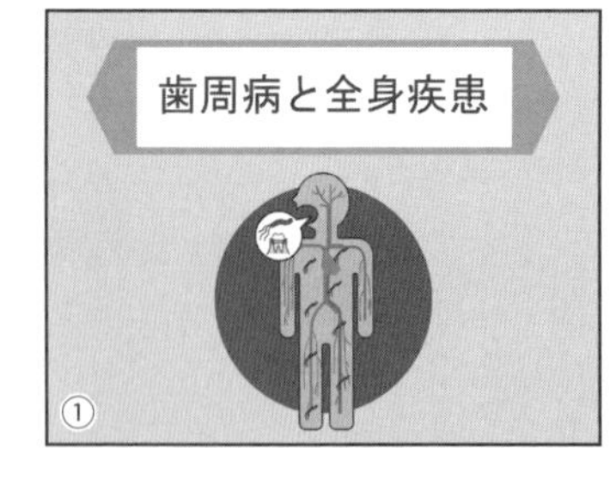

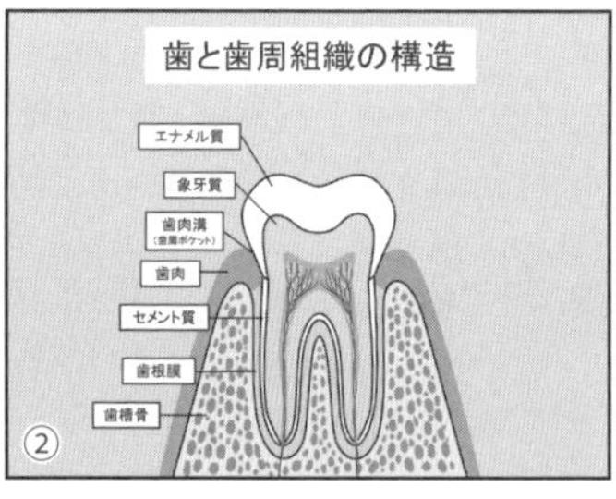

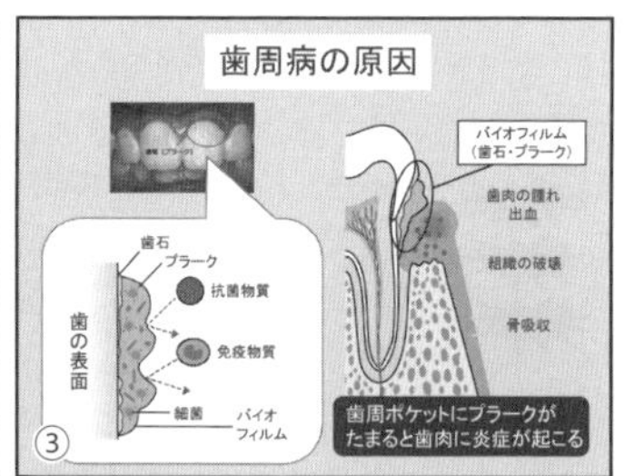

①今日のテーマは、「歯周病と全身疾患」です。歯周病は口の中だけの病気と思っている人も多いと思いますが、歯周病菌や歯周病菌が産生する毒素が体の中をめぐって、全身に悪影響を及ぼすことが分かってきました。今日は、歯周病と全身疾患の関係についてお話ししたいと思います。

②はじめに、歯と歯周組織の構造について、おさらいしておきましょう。歯は、歯槽骨という骨の中にはえています。歯の本体のかたい部分は、エナメル質、象牙質、セメント質でできていて、外に出ている部分はエナメル質で覆われています。根の部分にあるセメント質は歯根膜という繊維で歯槽骨と結合していて、これらは歯肉によって覆われています。歯と歯肉の間には、歯肉溝（歯周ポケット）と呼ばれる部分があり、健康な状態でも１～2ミリくらいの深さがあります。

③口の中には、病気になっていなくても常在菌といういろいろな種類の細菌が存在します。そのうちの歯周病菌が糖をエサにして増殖すると、歯垢（デンタルプラーク）と呼ばれるネバネバした物質を産生します。このプラーク1mg中（お米一粒は約20mg）にはおよそ10億個もの細菌がすみついているといわれています。プラークは歯みがきがしにくい歯と歯の間や歯肉溝（歯周ポケット）に付着していき、時間の経過とともに、歯石というかたい石のようなかたまりになって蓄積していきます。さらに、これらは一体となってバイオフィルムと呼ばれる被膜を形成し、外側からの抗菌物質や免疫物質を通しづらくします。バイオフィルムになってしまうと、歯ブラシだけでは除去できなくなります。バイオフィルムの付着した歯周組織は、細菌の産生する毒素によって腫れたり膿んだりして、少しの刺激でも出血するようになります。そのうえ、歯肉溝（歯周ポケット）は4ミリ以上にだんだん深くなっていきます。さらに進行すると、歯槽骨を破壊し、骨吸収を引き起こします。骨吸収に至ってしまうと歯の動揺が大きくなり、さらに進行すれば脱落してしまいます。

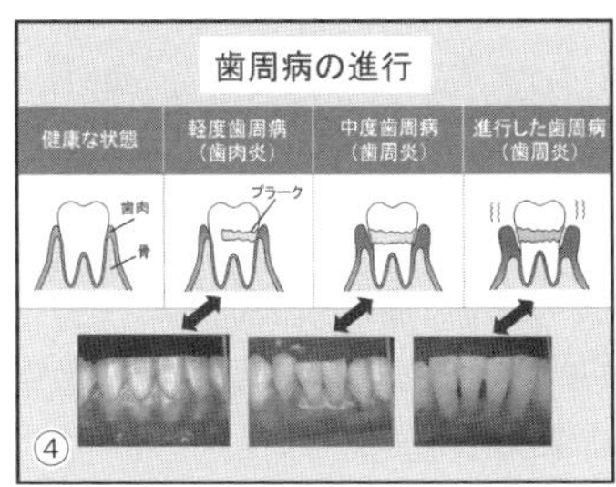

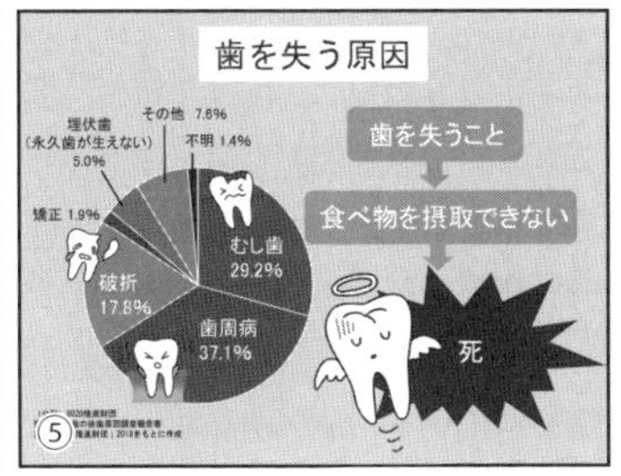

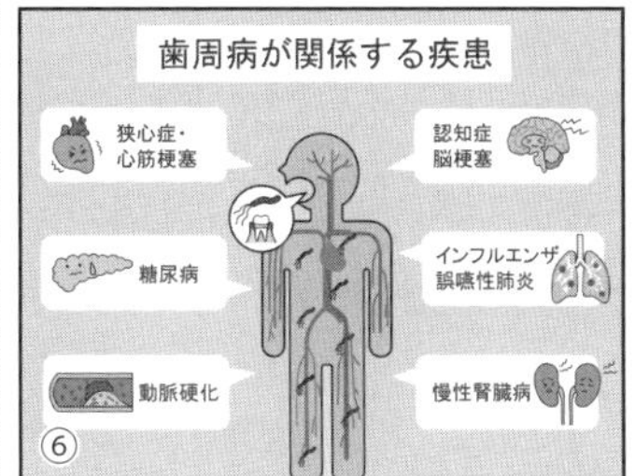

④歯周病は突然重症になるのではなく、徐々に進行する病気です。健康な状態と比べて初期の歯周病では、炎症は歯肉だけにとどまっていて、この状態を歯肉炎といいます。歯肉炎は進行していくと、炎症が歯槽骨や歯根膜まで広がり、この状態を歯周炎といいます。歯肉炎と歯周炎を合わせて歯周病といいます。写真は歯周病にかかった状態を撮影したものです。進行するにしたがって、歯周ポケットといわれる歯肉の深さが大きくなっている様子が分かります。歯周病は進行しても症状が出にくく、自分ではなかなか気づきません。サイレント・ディジーズ（silent disease)、沈黙の病気とも呼ばれ、非常にやっかいな病気です。日本人の15歳以上では、約75パーセントが罹患している、いわば国民病ともいえる病気です。また、歯周病が進行すると、治癒したとしても歯槽骨は元には戻らないので、歯肉は下がったままです。そのため、歯周病にかかると歯が長くなったように見えてしまいます。

⑤これは、歯を失う原因を調べた結果です。むし歯や歯の破折といった外傷でも歯を失いますが、一番の原因は歯周病です。むし歯や歯の破折が原因の場合、ある程度修復は可能ですが、歯周病ではそうはいきません。歯を失うとかむ機能が損なわれ、十分な栄養が摂取できなくなります。その結果、食事のバランスが崩れたり消化不良を起こしたりして、いろいろな病気の間接的な原因になることが分かっています。動物にとって、歯を失うことは食べ物を摂取できなくなることで、死を意味します。まさに“歯が命”なのです。

⑥さて、こういった歯周病が様々な研究により、全身にかかわる多くの疾患との因果関係が科学的に証明されるようになってきました。口の中に発生した歯周病菌や歯周病菌が産生する毒素は、やがて口の中の血管に入り込み、血液によって全身へ運ばれ、心臓や肺、すい臓や子宮など全身の臓器に悪影響を及ぼします。その結果、「脳梗塞」や「心筋梗塞」といった循環器系の疾患や「誤嚥性肺炎」や「インフルエンザ」といった呼吸器系の疾患、さらに「腎臓病」や「糖尿病」など多くの疾患に関連することが分かってきました。

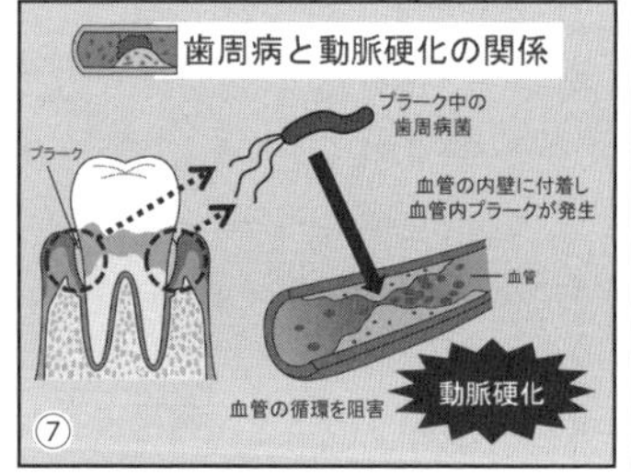

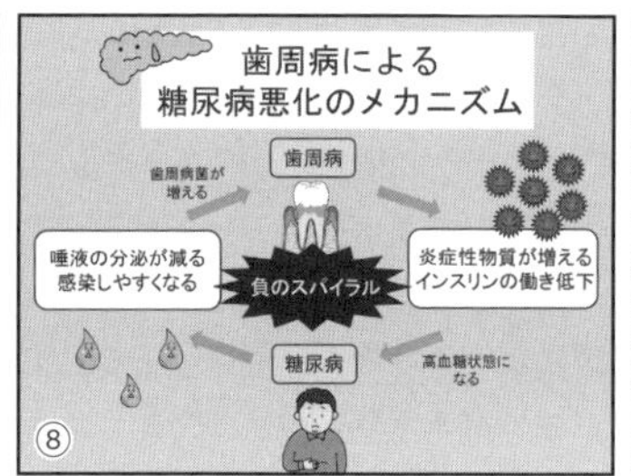

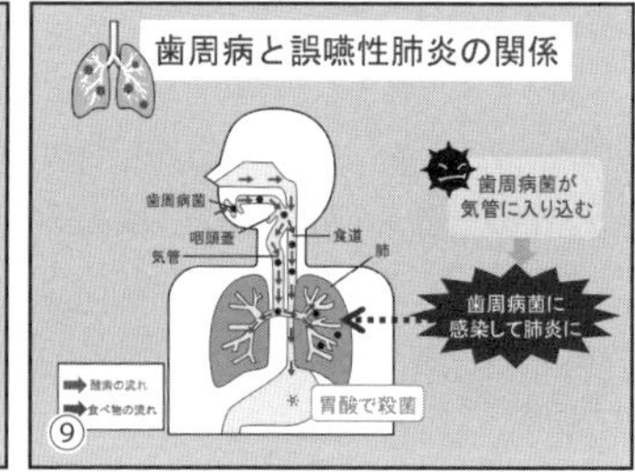

⑦具体的に見ていくと、歯周病菌が血管内に入り込むと、血管の内側の膜に付着して血管内プラークと呼ばれる沈着性の物質を生じます。すると、内側の膜はしだいに分厚くなって血液が流れにくくなり、その結果、動脈硬化が引き起こされる可能性のあることが分かってきました。さらに、プラークが血管から遊離して動脈に詰まれば、心筋梗塞や脳梗塞を引き起こす可能性もあります。

⑧また、歯周病になると糖尿病が進行することも科学的に証明されました。歯周病になると炎症性物質が増え、血糖値を安定させる役割のあるインスリンの働きを抑制してしまいます。その結果、血糖コントロールがうまくできなくなって高血糖状態になりやすくなり、糖尿病が重篤化することが分かってきました。糖尿病の患者さんは高血糖になりやすく、だ液の分泌量が減り、歯周病菌が増えます。そのため、糖尿病の人が口の中のケアを怠ると、歯周病が進行しやすく、また重篤化しやすくなります。このように歯周病と糖尿病は相互に影響しあって、歯周病が悪化すれば糖尿病も悪化する、糖尿病が悪化すれば歯周病も悪化するという負のスパイラル現象が起こります。しかし、この関係は逆もあるわけで、歯周病が改善されれば糖尿病も改善され、糖尿病が改善されれば歯周病も改善されるという関係でもあるわけです。

⑨さらに、歯周病菌が誤って肺に運ばれると、誤嚥性肺炎を引き起こします。本来、食べ物は食道を通って胃へ送られますが、高齢者など嚥下機能が低下している場合に、食べ物が誤って気管に入って肺へ送られてしまうことがあります。歯周病の人の口の中では歯周病菌が繁殖しているので、これが食べ物と一緒に肺に入り込むことで肺炎になってしまうのです。インフルエンザの場合も同様で、口腔ケアの行き届いている人とそうでない人では大きな差があります。

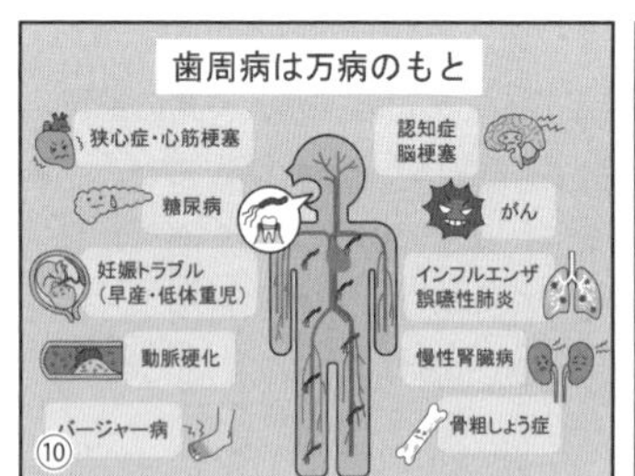

⑩このように、歯周病はいろいろな疾患と大きく関連していることが分かってきましたが、ほかにも「早産」や「低体重児出産」、「認知症」や「皮膚疾患」などとの関連が指摘されています。歯周病に起因する活性酸素の発生や血管の破壊、動脈硬化などの循環障害を考えると、歯周病は全身の疾患すべての誘因になることが推測されます。いい換えれば、歯周病を予防することや治療することは、間接的に全身の疾患を予防したり、症状の改善に結びつくといえます。

⑪歯周病の直接の原因は歯周病菌とそれを含めたバイオフィルムで、歯周病を予防するために、歯や歯肉の状態を観察することが大切です。チェックポイントを６つ紹介します。

・歯みがきの時に出血する
・朝起きた時に歯肉に違和感がある
・口臭を指摘された
・歯肉が下がって、歯が長く見えるようになった
・体調が悪くなると歯肉が腫れる
・歯の揺れを感じることがある

この中で１つでも当てはまれば、歯周病の恐れがあります。歯科医院で健診を受けましょう。

⑫今日は、歯周病と全身疾患の関係について学習しました。歯周病は自分でも気づかないうちに進行してしまう病気ですが、規則正しい食習慣を心がけることやブラッシングなどの口腔ケアを正しく行うことで、十分予防することができます。つまり、歯周病は生活習慣病の１つと考えられています。そして糖尿病や脂質異常症、高血圧症、大腸がん、肺がん、脳卒中、心臓病などもすべて生活習慣病です。歯周病を含めたこれらの疾患から身を守るためにも、生活習慣を見直し、適正な口腔ケアを行って、規則正しい生活を心がけましょう。

MEMO

⑨クローズアップ歯肉

1 ねらい

・歯肉の健康とはどんな状態かを理解する。
・歯肉の役割を考えることから、健康な歯肉を維持する方法を知る。

中学生や高校生の歯肉炎は少なくありませんが、自覚症状がないことから、歯肉炎であることを意識していない生徒も多くいます。歯肉の構造や役割を理解した上で、自分の歯肉をよく観察することから、健康を維持しようとする気持ちを持つようになってほしいと考えます。そして、その具体的方法を考えることを通して、自分を律する気持ちが育まれればと思います。

2 指導の実際

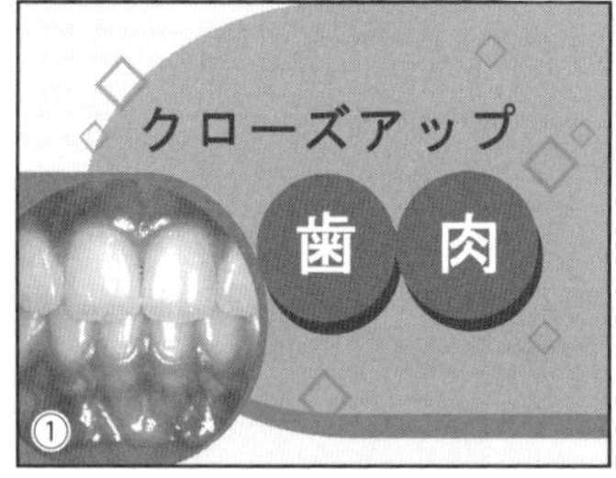

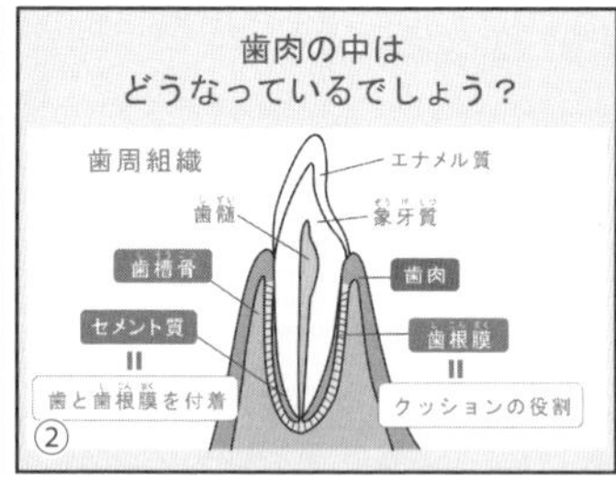

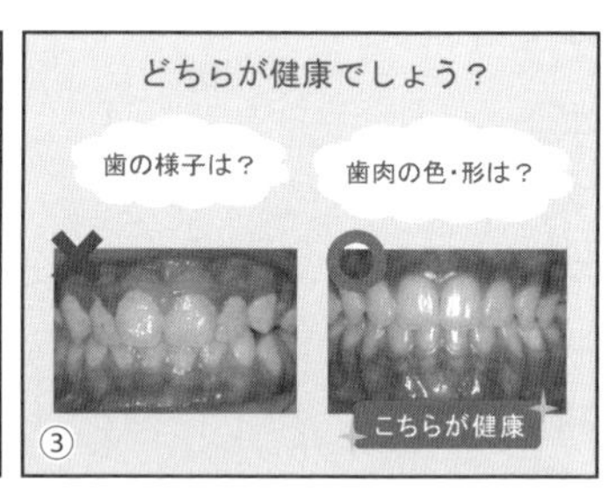

①今日のテーマは、「クローズアップ歯肉」です。歯の周りを取り囲んでいるピンク色をした部分が歯肉です。今日はこの歯肉に迫ってみようと思います。

②はじめに、歯肉の構造はどのようになっているのか、見てみましょう。歯肉の内側には、歯槽骨という骨があります。歯槽骨と歯の間には、クッションの役割をする歯根膜と、歯根膜を歯に付着させるセメント質が存在しています。物をかんだ時、歯には大きな力が加わります。この力を歯槽骨、歯根膜、セメント質で支えていて、それらを保護しているのが歯肉です。これらを合わせて、歯周組織といいます。つまり、歯周組織が歯を支えているのですね。歯周組織に炎症が起きた状態がコマーシャルなどでよく聞く歯周病です。

③では、これから歯肉の秘密に迫ってみたいと思います。この２枚の写真は、みなさんと同じ年代の人の口の中です。見比べてみるといろいろ違うところがありますね。

歯の様子はどうでしょう？　右の写真の歯は輝いているけれど、左の歯はねっとりしたものがくっついているように見えます。歯肉の色や形はどうでしょう？　右はピンク色をしていて山型にとがっていますね。左は赤く腫れた感じがします。ほかにも気がついたことはありますか？　では、どちらが健康でしょう？　歯が輝いていて、歯肉がピンク色で山型にとがっている右が健康な歯肉です。

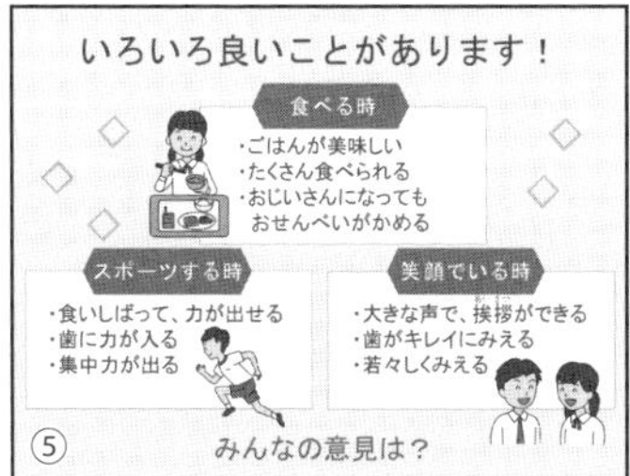

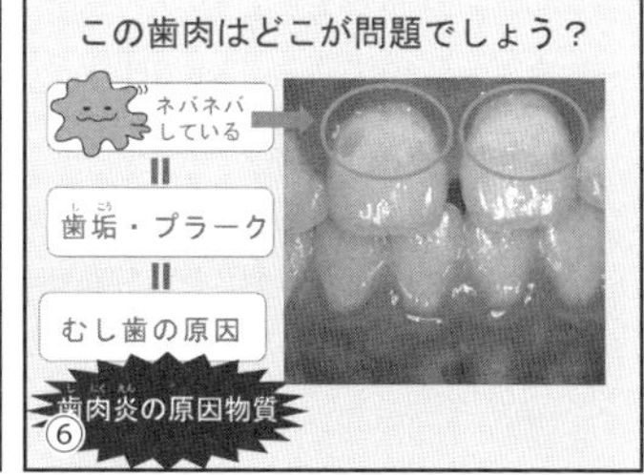

④では、健康な歯と歯肉だったら、どんな良いことがあると思いますか？　食事をする時、スポーツをする時、笑顔でいる時、どんな良いことがあるでしょうか。

⑤ある中学校の１年生の生徒が、考えてくれた意見です。
「おじいさんになっても、おせんべいがかめる」、先生もそうなりたいです！
「集中力が出る」、歯肉がしっかりしているので、歯を食いしばって頑張ることができるということでしょう。
「大きな声で、挨拶ができる」、ピンク色のきれいな歯肉だから、大きな口を開けられるということだと思います。
みなさんは、どんなことを考えましたか？　健康な歯肉だと、いろいろ良いことがあることが分かりましたね。

⑥では、こちらの写真をみてください。歯肉の色や形を見ると、健康とはいえなさそうですね。それに、歯と歯肉の境目にネバネバした汚れのようなものがついているのが分かりますか？　この物質は歯垢・プラークと呼ばれるもので、むし歯の原因になります。それから、歯肉に炎症を起こす原因物質でもあるのです。

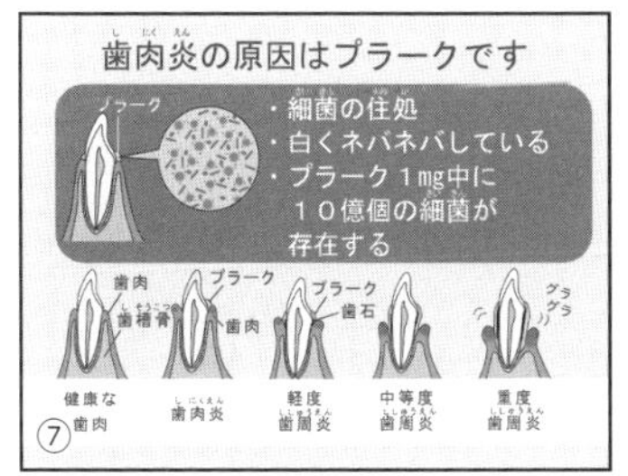

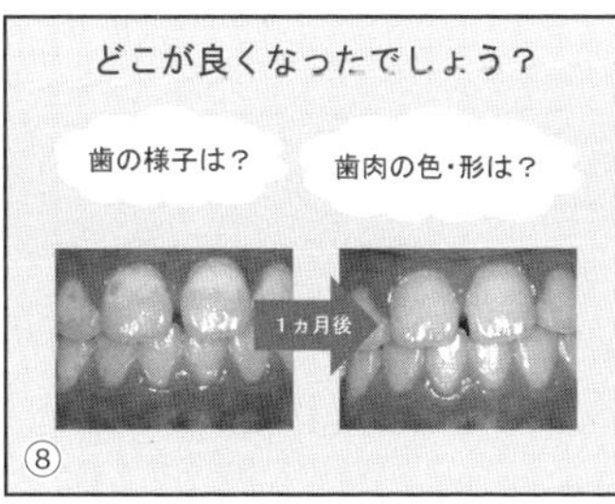

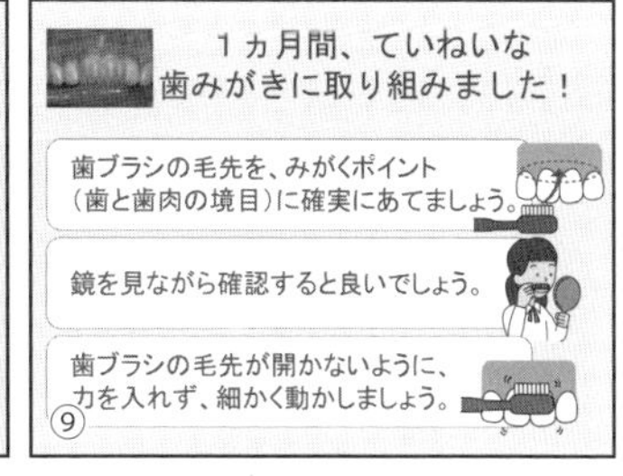

⑦歯肉炎を引き起こすプラークについて、くわしく見てみましょう。プラークは、細菌の住処です。食べ物の残りかすが歯の表面について細菌が繁殖したもので、白くネバネバしています。プラークは、食後８時間程度でできるといわれていて、プラーク１mg中にはおよそ300種類10億個もの細菌が存在しています。この細菌のつくり出す毒素が、歯を支えている歯肉や歯槽骨にダメージを与え、歯肉が腫れたり歯槽骨が溶けてしまうのが歯周病です。歯周病は、歯肉に炎症がみられる歯肉炎からはじまって、歯槽骨にまで炎症がみられる重度の歯周炎へと進行していきます。

⑧では、もう一度写真を見てください。この２枚の写真は、実はみなさんと同じ年代の同一人物の歯と歯肉の写真で、右は１か月後の様子です。歯肉の形を見てください。丸みを帯びていたのが、先のとがった山型になっています。色も赤みを帯びていたのが、薄いピンク色になっています。歯と歯肉の境目も引き締まった感じがします。ずいぶん違って見えますね。では、この人は、１か月間何をしたと思いますか？

⑨この人は１か月間、丁寧に歯みがきをしました。軽い歯肉炎であれば、原因となるプラークをきちんと落とすことで、健康な歯肉に戻すことができるのです。丁寧な歯みがきのポイントは３つあります。
①歯ブラシの毛先を、歯と歯肉の境目に確実にあてること
②鏡を見ながら確認すること
③歯ブラシの毛先が開かないように、力を入れず、歯ブラシを細かく動かすこと
です。みなさんも、ポイントを意識して、食後はできるだけ丁寧に歯をみがきましょう。

⑩この人は歯みがき以外の生活面でも、いろいろなことに取り組みました。例えば、歯みがきとあわせてフロスを使うようにしたり、寝る時間に気をつけたり、よくかんでゆっくり食べることを心がけました。このように、自分自身の生活習慣をふり返って、問題があれば改善することも大切です。

⑪人生100年といわれる今、生涯健やかに暮らしていくためには、食べることや話すことがしっかりできることが大切です。歯と歯肉の健康は、そんな人間の基本的な営みと深く結びついています。丁寧に歯みがきをして、規則正しい生活習慣を心がけ、歯と歯肉の健康づくりに取り組みましょう。

コラム⑧ 歯・口の健康…決め手はやっぱり食生活！

区市町村の保健センターで、10年以上「むし歯ゼロの子育て実践中」という家庭を探し出して取材を続けてきました。それで分かったことは、これらの家庭すべてに共通していたのが「食生活への配慮」ということです。「３度の食事をしっかり食べること」を第一に考えて、そのために「好き嫌いなく何でも食べること」、「節度を持ったおやつの与え方」がそれぞれの家庭のやり方で実践されていました。

様々なお菓子やジュース類がいつでもどこでも手に入り、貰ったりあげたりがおつき合いになっている今の社会で、そこになんとか歯止めをかけようとする保護者の努力と工夫、知恵の働かせどころが取材を通して伝わってきました。

また「特にむし歯ゼロを意識していたわけではありません」という家庭がほとんどでした。子どもの健康のため、しつけの一環として毎日の食事や生活習慣に気を配ってきたことが、結果として「むし歯ゼロ」につながってきたようです。むし歯ゼロの家庭の背景にあるものを追究していくと、いつの時代にもどこの地域でも変わらない「健康の原点」というべきところにたどり着きます。

取材をして感じることは、これらの家庭では、特別頑張ったり苦労しているのではなく、健康全般に良い生活を、昔からの我が家の習慣として、ごく自然に実践しているということです。この自然体でやっているちょっとした気配りや工夫を紹介することで「あ、こんなことならウチでもできそう！」と、同じ地域で子育てをしている人たちの身近なお手本となり、実践の輪が広がって、いつか生活の中にしっかりと根づき、地域の人たちが誇る健康文化となっていくのではないでしょうか。

住んでいる土地の風習、ご近所づき合い、親戚や友人関係などいろいろな背景から生じる問題に、上手に対処していく方法を、我々取材者は、ご家族の体験談から具体的に学ぶことができました。

取材した家庭の実践の一部を紹介します。

●本物の味がわかる子どもに育てたい
- 離乳食から魚の味に親しませた
- 赤ちゃんの時から野菜の煮汁に慣れさせた
- 薄味をおふくろの味にしたい
- 我が家の料理には砂糖を使わない
- 食事前の空腹にはスティック野菜で
- カルシウムたっぷりの自家製ふりかけ
- 和食中心でかみごたえを覚えさせる

●おやつの工夫あれこれ
- おやつには季節の野菜や果物を
- リンゴは毎朝、アイスクリームは週末のお楽しみに
- 手づくりお菓子の砂糖量はレシピの半分に
- お出かけの時は小さいおにぎりを持参
- 我が家のポットはいつもほうじ茶たっぷり
- お菓子は何でも１日１個まで
- 毎週火曜日は「おやつなし」の日

〈参考文献〉

『ママになった歯科医師・歯科衛生士・管理栄養士が伝えたい！食育とむし歯予防の本』医歯薬出版株式会社、2018年１月10日発行
『行動の変容をめざしたこれからの歯科保健指導』医歯薬出版株式会社、2000年６月10日発行

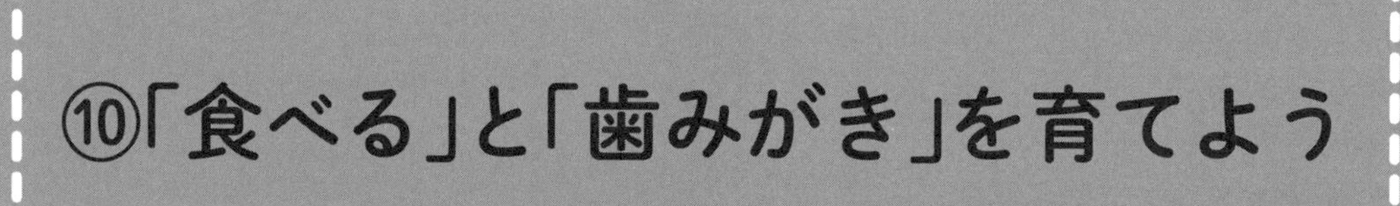

⑩「食べる」と「歯みがき」を育てよう

低学年　中学年　高学年　中学生　高校生　**保護者**

1 ねらい

・子どもの歯・口の健康の意義とそのために必要な健康習慣を理解する。
・むし歯の原因や、むし歯と食習慣・歯みがきとのかかわりを理解する。
・幼児期前半、幼児期後半の歯・口の発育や機能発達をふまえて、各時期に大切な生活習慣づくりを行う。

幼児期は、心身の発育とともに歯・口の発育も著しい時期です。食べる機能の獲得や歯みがき習慣の獲得の時期でもあるため、よりよい生活習慣を形成することが歯・口の健康や健全な口腔機能の発達につながります。幼児期の歯・口の発育・発達を理解していただき、子どもの健康な食習慣や歯みがき習慣の獲得をサポートしていただきたいと考えます。

2 指導の実際

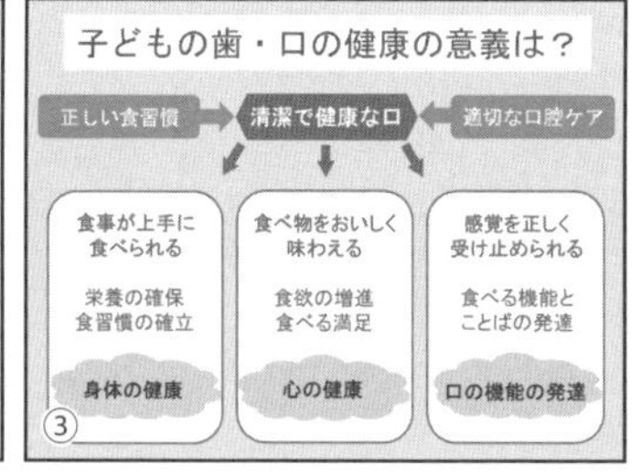

①本日は、歯や口の健康と関係が深い「食べる」ことと「歯みがき」についてお話しします。

②口の働きには、「食べる」「話す」「鼻の代わりに呼吸をする」「泣いたり、笑ったり感情を表す」など、様々なものがあります。特に、「食べる」ことと「話す」ことは、ヒトの生活に密着した機能であり、ただ食べたり、話したりできることだけでなく、「おいしく食べる」「周りの人たちと楽しく話をする」ことが大切です。これらの口の働きが十分発揮されることが、子どもの健やかな生活や健やかな発育につながります。

③子どもの歯・口の健康を保つことは、心身の健康の維持や、口の機能の発達の面からも重要です。清潔で健康な口で食事が上手に食べられることで、栄養が確保され、健全な食習慣が確立されれば、身体の健康が保たれます。また食べ物をおいしく味わえることで、食べる意欲が育ち、食の満足が得られれば、心の健康にもつながります。清潔で健康な口は感覚の受容を促し、食べる・話すなどの口の機能の発達を促します。そして、このような歯・口の健康は、正しい食習慣や適切な口腔ケアによって生み出されるものであることを念頭に置く必要があります。

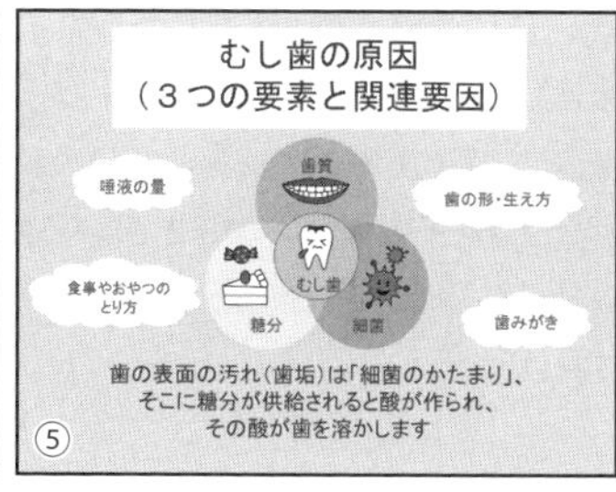

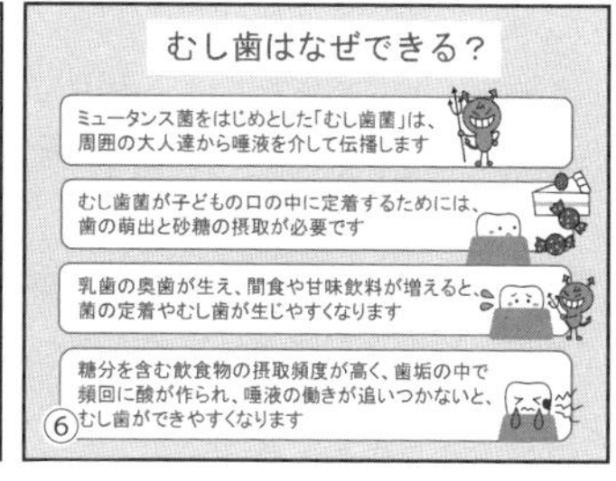

④乳幼児期の歯・口の発育と食べる機能の発達を見てみると、出生時にはまだ歯もなく、反射でお乳を吸っていた赤ちゃんが、生後半年ごろには乳歯がはえはじめ、離乳食を食べはじめます。１歳を過ぎて乳歯の奥歯がはえてくると、歯でいろいろな食べ物をかみつぶせるようになり、食べられる物の幅が広がって、３回の食事でほぼ栄養が摂れるようになり、離乳は完了します。さらに奥歯が増えて３歳ごろに乳歯が20本はえそろうと、すりつぶしまでできるようになり、歯を使った咀嚼機能が獲得されます。同時に、離乳食のころは介助されて食べていた子どもも、自分で食べることが上手になってきます。

⑤次に、むし歯の原因について考えてみましょう。むし歯をつくる３つの要素としては、「歯」、「むし歯菌」、そして「食べ物の糖分」が挙げられます。歯の表面の汚れを「歯垢」といいますが、これは単なる食べかすではなく、細菌のかたまりです。糖分の多い食べ物、飲み物を摂ると、歯垢の中の細菌が酸をつくり、その酸が歯を溶かすのです。この３要素が重なっている時間が長いほど、むし歯のリスクは高くなります。また、これらの３要素には、だ液の量や歯の形・はえ方、歯みがきの習慣や食事・おやつの食べ方などが関連します。

⑥むし歯のでき方を見てみましょう。生まれたばかりの赤ちゃんの口の中には、ミュータンス菌などのむし歯菌はまだ存在しません。むし歯菌は周囲の大人たちの口の中から、だ液を介して子どもにうつります。そして、子どもの口の中に乳歯がはえて、また砂糖を食べはじめると、むし歯菌は定着といって歯の表面にすみつきやすくなります。１歳を過ぎて、乳歯の奥歯がはえ、離乳を完了しておやつやジュースなどを摂りはじめると、むし歯菌がすみつきやすくなり、むし歯ができはじめます。子どもの生活で、糖分の多い飲食物を頻繁に摂り、つくられた酸をだ液で解消できなくなると、むし歯ができやすくなります。

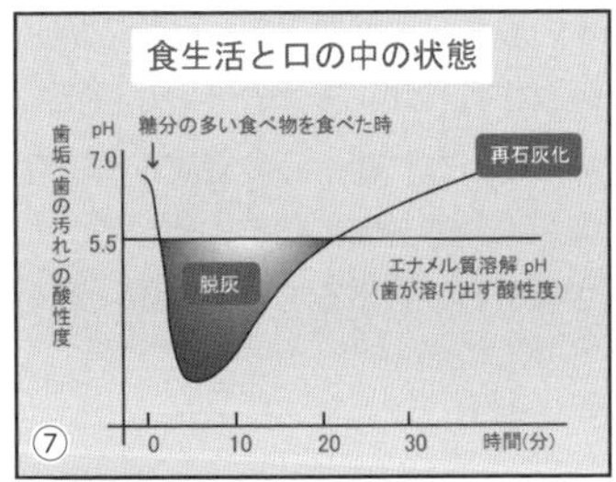

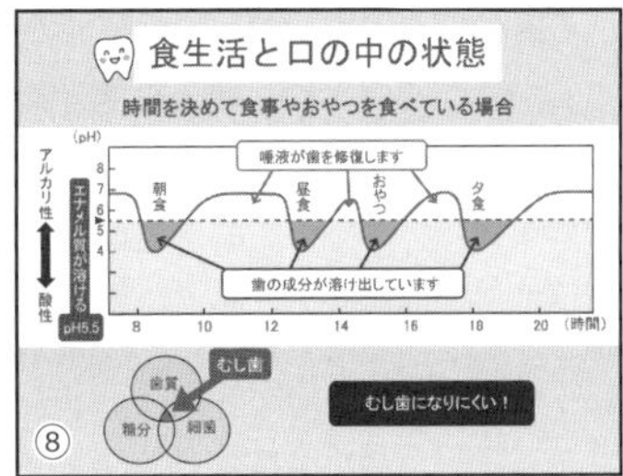

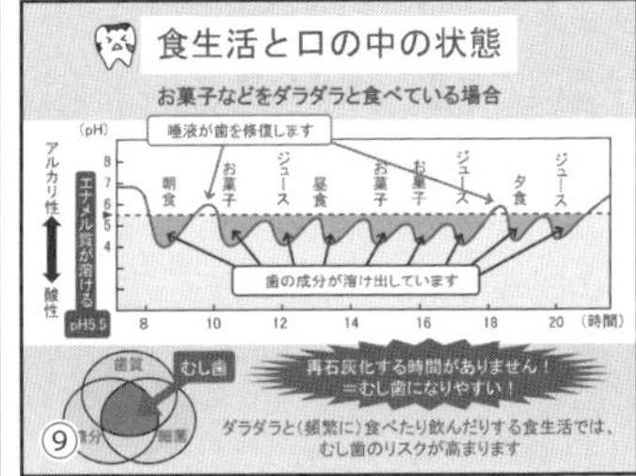

⑦これは糖分の多い食べ物を食べた後の、歯垢の酸性度（ピー・エイチといいます）を調べたグラフです。糖分が歯垢に取り込まれると、歯垢の中のむし歯菌が糖を分解して酸をつくるためpHが下がり、５分くらいで最低値になります。それがだ液の働きなどで元に戻るのには30〜60分かかります。pHの下がり方や元に戻る時間などには個人差がありますが、pHが5.5以下の酸性になると歯からカルシウムなどのミネラル成分が溶けだします（これを脱灰といいます）。ただし、歯垢のpHが元に戻って時間が経つと、だ液中のカルシウムなどにより歯は修復されます（これを再石灰化といいます）。ヒトの口の中では、飲食のたびにこのような脱灰と再石灰化が繰り返されています。

⑧１日の生活で見てみると、３回の食事と１回のおやつなど規則正しい食生活で食事やおやつを時間を決めて食べていれば、食べることの間隔が空くため、一時的には歯からミネラル成分が溶けだしても、だ液の働きで歯が修復されやすいです。むし歯の原因の３要素が重なっている時間が短いことで、むし歯のリスクは低くなります。

⑨しかし、３回の食事以外にも甘いお菓子やジュースなどを頻繁に食べたり飲んだりしていると、溶けだしたミネラル成分をだ液が修復する時間が取れないので再石灰化が起こりにくくなります。むし歯の原因の３要素が重なる時間が長くなることで、再石灰化の時間が取れなくなり、むし歯のリスクが高まります。

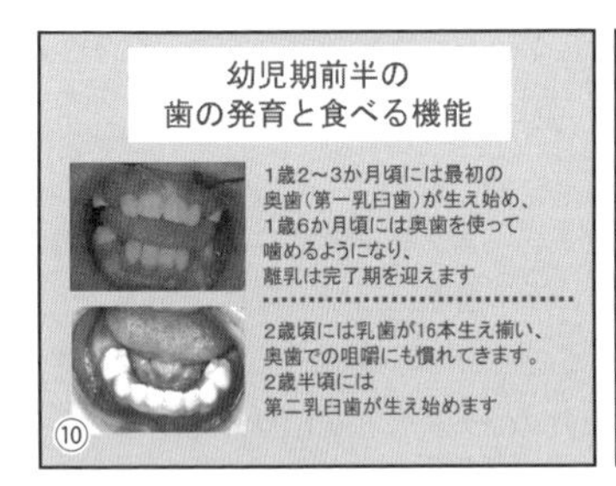

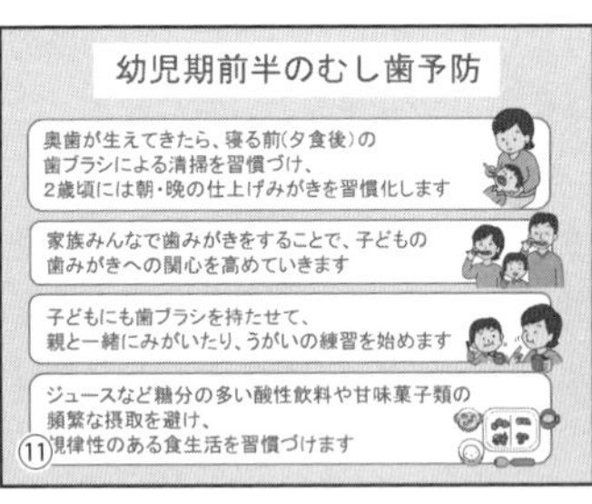

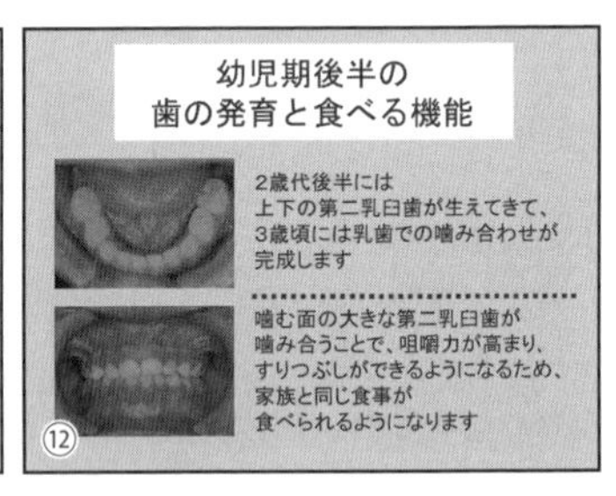

⑩写真は幼児期前半の１〜２歳ごろの乳歯のはえ方です。１歳代前半には、左上の写真のように上下の前歯に加えて最初の奥歯がはえはじめて、奥歯を使ってかめるようになります。１歳半過ぎには乳犬歯がはえ、２歳ごろには左下の写真のように乳歯が16本はえそろって、奥歯でかむことにも慣れてきます。２歳半ごろには一番奥の乳歯である第二乳臼歯がはえはじめます。

⑪幼児期前半のむし歯予防を、食生活と歯みがきから考えてみましょう。奥歯はかむ面の溝などに汚れがつきやすいので、奥歯がはえてきたら歯ブラシでの清掃の必要が高まります。２歳ごろには朝晩の保護者による仕上げみがきを習慣化しましょう。家族みんなで歯みがきをすることで、子どもの歯みがきへの関心を高めていきます。また、２歳ごろからは子どもにも歯ブラシを持たせて親と一緒にみがいたり、うがいの練習もはじめましょう。ジュースなどの糖分の多い酸性の飲み物や、甘いお菓子などを頻繁に摂ることは避けて、規律性のある食生活を習慣づけることが大切です。

⑫３～５歳ごろは乳歯が20本はえそろって、乳歯でのかみ合わせも完成する時期です。左上の写真のように、かむ面が大きな第二乳臼歯がかみ合うことで、咀嚼力が高まり、すりつぶしもできるようになります。また、左下の写真のように、20本の乳歯がはえそろうと、よくかむことでかたい物や乾燥した食べ物などが食べられるようになり、家族と同じ食事が食べられるようになります。

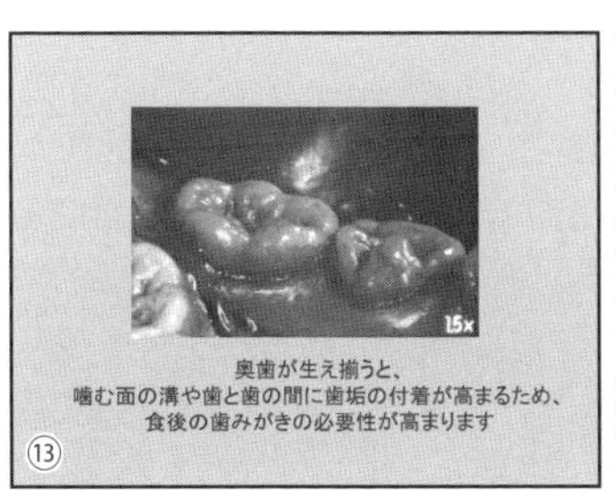

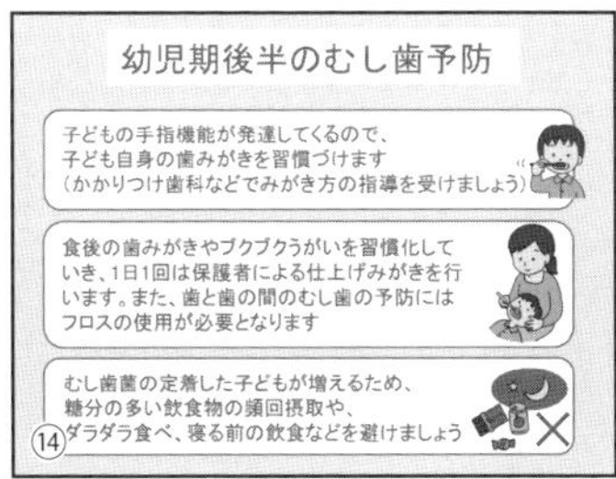

⑬乳歯の奥歯がはえそろうと歯垢が付着しやすくなります。写真は歯垢を赤く染め出したものですが、特にかむ面の溝や歯と歯の間などに歯垢が残りやすくなります。そのため、食後の歯みがきの必要性が高まります。

⑭幼児期後半のむし歯予防を、歯みがきと食生活から考えてみましょう。３歳を過ぎると手指の巧緻性などが発達してくるので、子ども自身での歯みがきを習慣づけていきます。かかりつけの歯科医院でみがき方の指導を受けるといいでしょう。子ども自身の食後の歯みがきやブクブクうがいを習慣化するとともに、保護者による仕上げみがきも１日１回は必要です。また、歯と歯の間のむし歯予防には、フロスの使用も必要となります。
３歳過ぎにはむし歯菌が定着した子どもが増えるため、糖分の多い食べ物、飲み物の頻回摂取やだらだら食べ、寝る前の飲食などは、むし歯のリスクを高めるので避けましょう。

⑮子どもの歯や口の状況は日々変化しています。歯みがきは、衣服の着脱やトイレなどと同じ基本的生活習慣の１つです。乳幼児期から、丁寧な歯みがきとうがいを行い、清潔な口腔環境を保つ習慣を身につけましょう。また、歯のはえ方に合わせた食べる機能の発達を支援して、規則正しい食生活と、よくかんでおいしく味わう食べ方を身につけることが大切でしょう。

第3章

歯・口の保健教育

- １単位時間で行うことのできる歯・口の保健の指導です。
- パワーポイントの表示に合わせて授業が展開できます。子どもとやり取りをしながら進めてください。
- CD－ROM 収録のパワーポイント教材やワークシートは編集可能です。各校の実態に合わせてお使いください。
- 本書では養護教諭が指導を進める形式となっていますが、「ヒント」では歯科医、歯科衛生士、栄養教諭・学校栄養職員など他職種の方とのコラボレーションも想定しています。

①ヒトの歯のはたらきと動物の歯

低学年 中学年 高学年 中学生 高校生 保護者

1 ねらい

・ヒトの歯の種類と、物を食べる時の役割を知る。
・いろいろな動物の歯の形を学び、歯の形からどのような食べ物を食べているかを考える。

歯の形を観察することで、食べ物と歯の役割との関係を知ることができます。そして、ほとんどの子どもがはじめてみる肉食・草食・雑食動物の頭部の標本写真の観察を通して、食べ物と歯の形が深くかかわっていることに気づくと思います。同時に、ヒトの歯・口の機能（働き）がいかに優れているかということにも気づき、子どもたちが歯・口の健康の保持増進の大切さを理解するきっかけになればと思います。

2 指導案

時間		学習内容	教材
導入	5分	①今日の学習内容を知る。	PPT 教材 1
展開	5分	②ヒトの歯にはどんな種類の歯（どんな形をした歯）があって、物を食べる時、どの歯をどのように使っているのかを知る。 ③それぞれの歯にはどんな働き（役割）があるのかを知る。	PPT 教材 2 ～ 8
	15分	④いろいろな動物の歯の形と食べ物との関連を知る。	PPT 教材 9 ～18
	15分	⑤私たちが普段食べているいろいろな食べ物と歯の使い方について考える（体験する）。	PPT 教材19～21
まとめ	5分	⑥歯の健康の大切さに気づき、歯の健康を守るための生活習慣（行動）を考える。	PPT 教材22 ワークシート

3 準備するもの

・3-1：パワーポイント教材
・3-1：ワークシート

ヒトのはのはたらきと どうぶつのは
はの形と食べものとのかんけいを知ろう
年 組
名前

1 ヒトのはの形 と はのはたらき

はの形	はのはたらき

2 どうぶつのは と 食べもの

	どうぶつのなまえ	はの形	食べもの
①			
②			
③			
④			

3 わたしたちのは と 食べもの

食べもののなまえ	食べ方

4 おいしく食べるためにするべきことは何ですか？

4 指導の実際

ヒント

こんな人と一緒に

学級担任、歯科医と一緒に授業を行うと効果的です。

❶ 導入

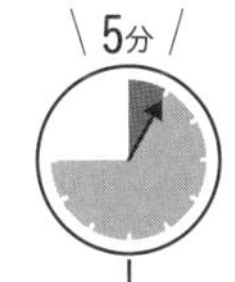

今日の学習内容では、ヒトの歯の働きと動物の歯について学ぶということを伝えます。

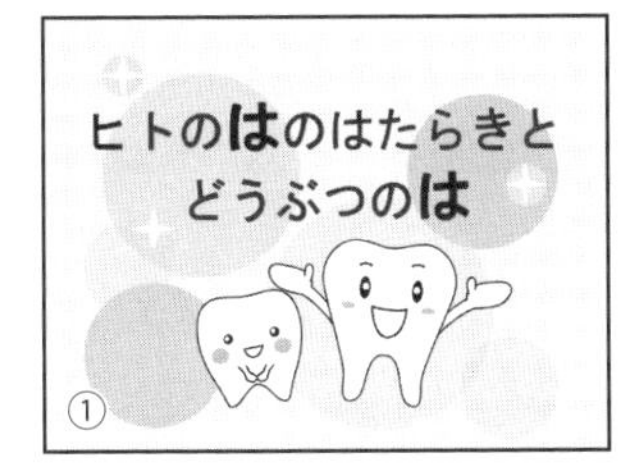

①今日のテーマは、「ヒトの歯の働きと動物の歯」です。今日は歯の形と働きを知って、歯がどうして健康を守るために欠かせないのか、学習したいと思います。いろいろな動物も出てくるので、楽しみにしてくださいね。

❷ 展開

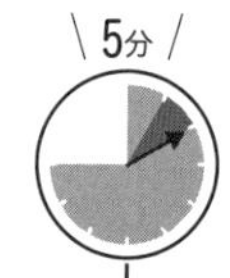

子どもたちにヒトの歯の形と働きについて理解を促します。

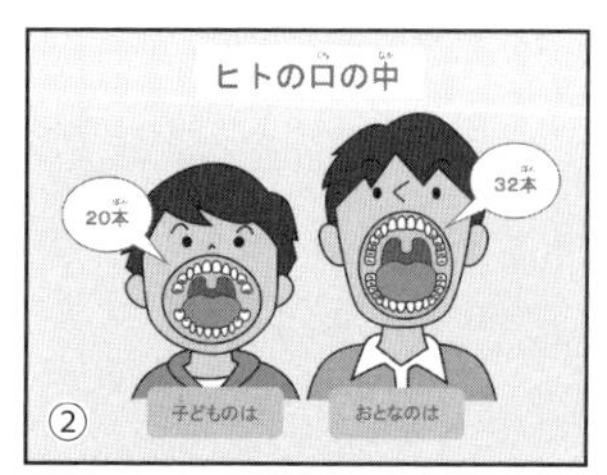

②はじめに、ヒトの口の中を見てみましょう。いろいろな形をした歯が左右対称にはえていますね。ヒトの歯はその形と働きから３つの種類に分けられます。そして、全部はえそろうと、子どもの歯は20本、大人の歯は32本になります。

③それでは歯の形を見てみましょう。まず口の真ん中にあるのが、前歯です。前歯はシャベルのような形をしていて「切歯」ともいいます。

④前歯の隣にはえている、先が槍のようにとがった歯を「犬歯」といいます。

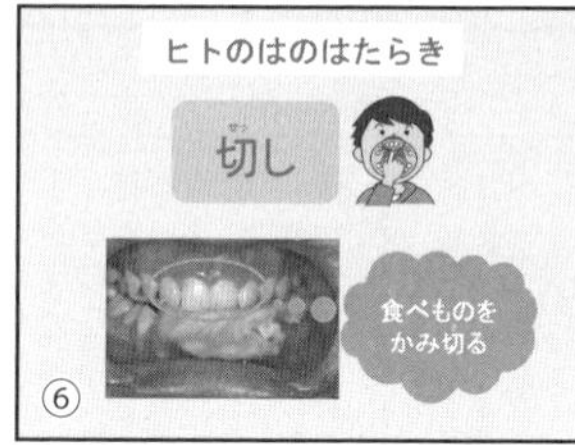

⑤そして、奥の方にはえているのが奥歯です。奥歯は臼のような形をしているので、「臼歯」ともいいます。

⑥それでは、切歯、犬歯、臼歯の働きを見てみましょう。それぞれどんな働きがあると思いますか？切歯は、食べ物をかみ切る働きをします。それで、大きな食べ物は小さくなって口の中に入りやすくなります。

⑦犬歯は、かたい食べ物を突き刺したり、かみ砕いたり、引きちぎる働きをします。それで、かたい肉や筋ばった食べ物を引きちぎることができます。

⑧臼歯は、食べ物をすりつぶす働きをします。ご飯や野菜や肉をしっかりとすりつぶして、だ液（つば）と混ぜ合わせます。それで、食べ物をゴックンと飲み込むことができます。このように、ヒトの歯には切歯、犬歯、臼歯の3つの種類があって、それぞれが大切な働きをすることで、何でも食べることができるのですね。

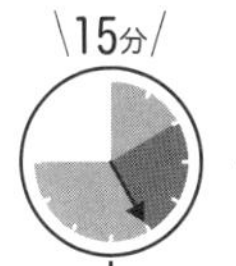

動物の標本の写真を使って、子どもたちにこれはどんな動物のもので、何を食べているのかを学ばせます。

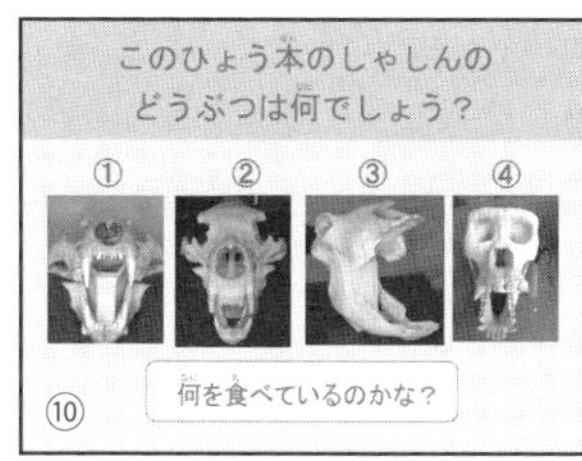

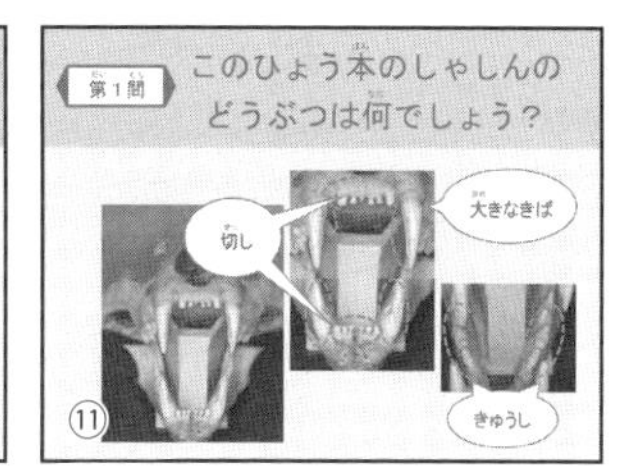

⑨では、動物の歯はどんな形をしていて、どんな働きをしているでしょうか？　食べ物とはどんな関係があるでしょうか？　これから動物の歯の秘密に迫ってみたいと思います。

⑩今からクイズをします。全部で4問あります。これは、動物の標本の写真です。みなさん、歯に注目してくださいね。①から④の写真の動物は何で、どんな物を食べているか、考えてみましょう。

⑪まずは第1問、①の動物クイズです。この動物の歯は、切歯が全部で12本あります。どれもとても小さいですね。切歯の隣には大きな牙があって、奥にはえている臼歯も鋭く尖っています。さて、この動物は何で、何を食べているでしょう？

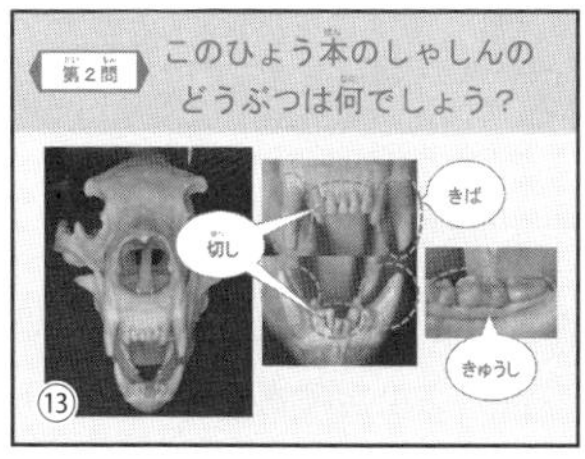

⑫（子どもに考えさせてから）答えは「トラ」です。食べているものは「肉」です。トラは鋭く尖った牙で獲物を捕まえて、尖った臼歯で引きちぎるようにして食べます。このように、肉を食べて生きている動物を「肉食動物」といいます。肉食動物の歯の主な働きは、肉を引き裂いたり、骨をかみ砕いたりすることです。

⑬次は第 2 問、②の動物クイズです。この動物は①のトラと比べて切歯は大きいですが、牙は少し小さいようですね。臼歯は平らで、食べ物をすりつぶすのに都合がよさそうです。さて、この動物は何で、何を食べているでしょう？

⑭（子どもに考えさせてから）答えは「クマ」です。クマは、肉だけでなく、魚や果物なども食べます。さらに植物も食べます。このような動物を「雑食動物」といいます。雑食動物のクマの歯は、肉を引き裂く犬歯と、魚や果物をかみ切る切歯と、植物をすりつぶす臼歯がバランスよく発達しているのが特徴です。

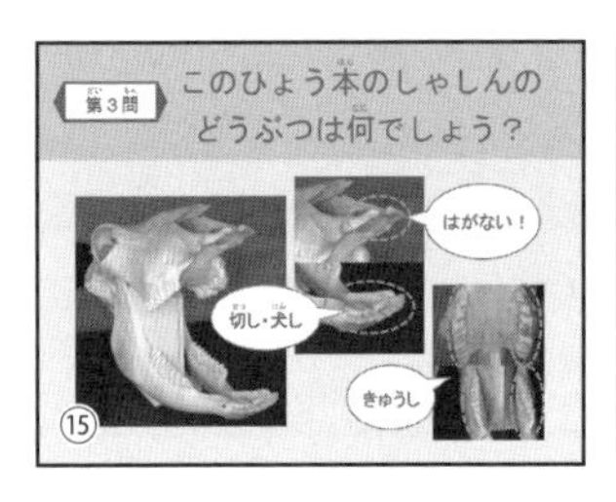

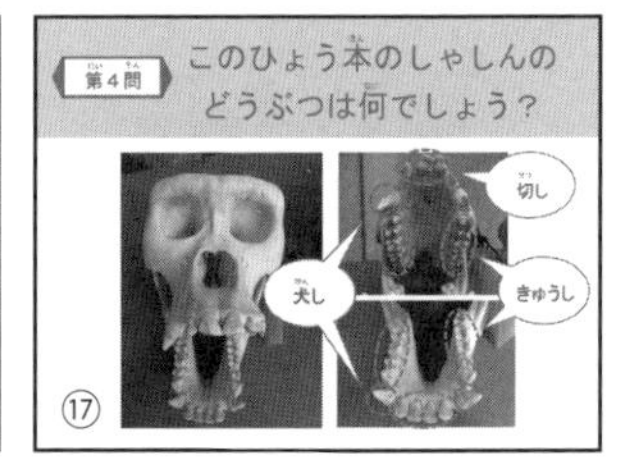

⑮次は第 3 問、③の動物クイズです。この動物は、下顎には歯（切歯と犬歯）がありますが、上顎には歯はありません。それから、臼歯は名前の通り、ひき臼のような形をしていて、顎の骨にしっかりと固定されて並んでいます。この動物は何で、何を食べているでしょう？

⑯（子どもに考えさせてから）答えは「ウシ」です。ウシは植物（草）をよくかんで食べます。このように、植物を食べる動物を「草食動物」といいます。草食動物の歯の主な働きは、草を食いちぎり、すりつぶして消化しやすくすることです。それで、臼歯が発達しています。一方、下顎の犬歯は、肉を引き裂くというような働きがないので、切歯のような形で切歯の隣に並んでいるのです。

⑰最後は、④の動物クイズです。この動物の歯は、ヒトの歯と少し似ていますね。上顎と下顎には切歯と犬歯がはえていて、ヒトの歯と似た形の臼歯が全部で20本はえています。さて、この動物は何で、何を食べているでしょう？

⑱（子どもに考えさせてから）答えは「ゴリラ」です。ゴリラは草や果物類などの植物を好んで食べますが、時々肉も食べる雑食動物です。ゴリラの歯は臼歯が発達していて、形はヒトの歯とよく似ています。犬歯はヒトと比べると大きいですね。この大きな犬歯は食べ物を引き裂いたり、たたかいの時に役立ったりします。このように、動物の歯はそれぞれ、食べ物や食べ方にあった形や大きさをしていることが分かりましたね。

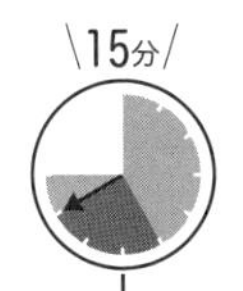

私たちが普段食べている食べ物と歯の使い方について考えさせます。

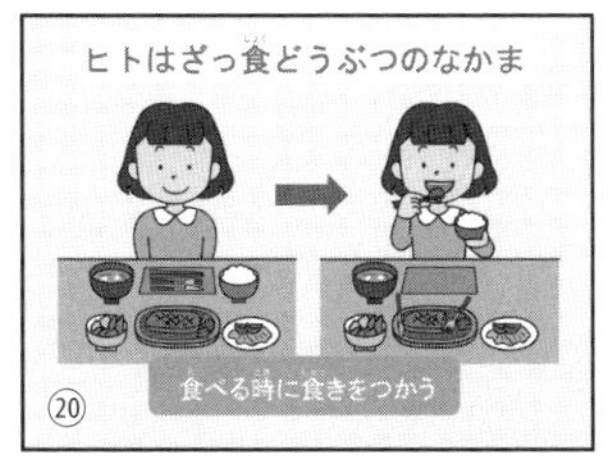

⑲では、私たちヒトの歯はどうでしょうか？　食べ物とどのような関係があるでしょうか？

⑳私たちは、肉や魚、穀類、野菜、果物など様々な食べ物を食べますね。すなわち、ヒトはクマやゴリラと同じ雑食動物の仲間です。ヒトの歯も動物と同じように、たくさんの大切な働きがあります。でも、ヒトと動物では食べる時に大きな違いがあります。何だと思いますか？（子どもに考えさせてから）それは、食べ物を食べる時、道具を使うことです。ヒトは、お箸やスプーン、フォークといった食器を使って食べ物を口へ運んで食べます。

㉑では、次のような食べ物を食べる時、私たちはどんなふうに歯を使って食べているでしょうか？リンゴを丸ごと１個食べる時、四つ切りにした時、八つ切りにした時、薄切りにした時、すりおろした時で、それぞれ切歯、犬歯、臼歯をどんなふうに使って食べていますか？　鶏のから揚げではどうでしょうか？　これから、どんなふうに歯を使っているか、班で話し合って発表してください。

❸ まとめ

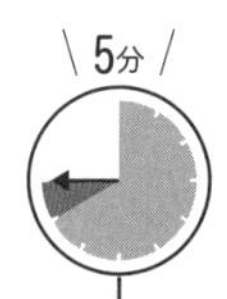

歯の健康の大切さに気づかせ、歯の健康を守るための生活習慣を考えさせて学習のまとめとします。

㉒（発表を終えた後）どの班も、歯の働きについて考えることができましたね。今日は「ヒトの歯の働きと動物の歯」について学習しました。私たちは、食べ物を切歯でかみ切り、犬歯で引きちぎり、臼歯ですりつぶして食べています。むし歯がない健康な歯でしっかりかむことができれば、いろいろな食べ物をおいしく味わって食べることができ、食事の時間が楽しくなります。体の成長に大切な栄養もしっかりとることができます。いつもおいしく食事ができるように、歯の健康を守ることが大切です。そのために、今の自分にどんなことができるかを考えて、ワークシートに記入しましょう。

MEMO

②未来につなげよう かむことの力

低学年 **中学年** 高学年 中学生 高校生 保護者

1 ねらい

・口ではいろいろなセンサーが働いていて、よくかむほどそのセンサーが働くことを知る。
・センサーを働かせるためにできることを考え、実践しようとする。

ガムをかむことで、口の中でいろいろな働きをしていることに気づきます。また、口の中には様々なセンサーがあり、よくかむことで口の中のセンサーが活発に働くことを伝えることで、よくかむことのアイデアがふくらみます。また、ブレスト会議からのスパイタイムは、アイデアの共有に役立ちます。「スパイ」という響きが子どもたちのわくわく感につながるのではないかと考えます。

2 指導案

時間		学習内容	教材
導入	5 分	①口は、物を食べる時、どこを使っているのかを知る。 また、その部分は「どんな働き」をしているのかを知る。	PPT 教材1、2
展開	10分	②ガムをかみながら、口の中の変化を細かく観察し、何のために働いているかワークシートに記入する。 ③書いたことを発表する。	PPT 教材3 ワークシート ガム（咀嚼ガム） ワークシート拡大印刷
	25分	④よくかむと口の中のセンサーがよく働くことを知る。 また、センサーが働くことが大事なことを知る。 ⑤口の中のセンサーを活発に働かせるアイデアを考える。 ・ブレスト会議→スパイタイムで共有	PPT 教材4〜18 付箋（黄色、ピンク色） ブレストシート
まとめ	5 分	⑥まとめたアイデアの中から、今日から実行してみようと思うアイデアを宣言する。	PPT 教材19、20 ワークシート

3 準備するもの

- 3-2：パワーポイント教材
- ガム（咀嚼ガム）
- 付箋（黄色、ピンク色）
- 3-2：ブレストシート（A3サイズ）

- 3-2：ワークシート
- ワークシートを拡大印刷したシート

未来につなげよう
かむことの力
口の中の様子をくわしく調べよう。

年　組
名前

◆ガムをかんで感じたことを書きましょう。

	部位	様子	何のために働いているか
口の様子	くちびる		
	歯		
	舌		
	のど		
	だ液		
	あご		
	口の中の感じ		
ガムの様子	かたさ		
	味		
	大きさ		

<宣言>
口の中のセンサーを働かせるために・・・

4 指導の実際

ヒント

こんな人と一緒に

学級担任、歯科医と一緒に授業を行うと効果的です。

❶ 導入

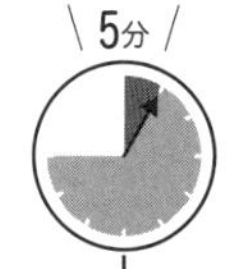

口は物を食べる時、どこを使っているのか、また、その部分はどんな働きをしているのかを考えます。

①今日のテーマは、「未来につなげよう　かむことの力」です。私たちは食事の時、食べ物を口に入れてかんだり飲み込んだりしますね。では、口は、物を食べる時、どこを使っているのでしょう？　口を大きく開いて、口の中をのぞいてみましょう。

②みなさんが食べ物を口に入れると、最初に触れる場所は唇ですね。続いて歯に触れます。食べ物が口の中に入ったら、舌に触れますね。だ液も出てきます。飲み込む時には喉を通るし、かむ時には、顎も動きますね。食べ物を口に入れた時の口の中の様子がイメージできましたか？　では、それぞれどんな働きをしているのでしょう？

❷ 展開

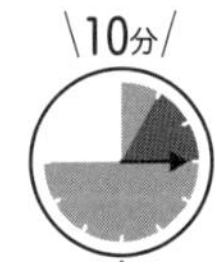

実際にガムをかみながら、口の中の変化を観察して、何のために働いているのかを考えます。

進行上のポイント

子どもたちにガムと使用済みガムを入れる袋、ワークシートを配り、5分経ったら、途中でもガムを袋に入れるよう指示します。また、意見は上から順番に拡大印刷したシートに記入します。

③これから、みなさんにガムとワークシートを配ります。いまから5分間ガムをかみながら、口の中の様子で気がついたこと、何のために働いているか、ガムの様子について、ワークシートに書いていきましょう。ガムはワークシートを全部書き終えたら、袋に戻してくださいね。唇の様子はどうでしたか？　何のために働いていると思いましたか？　ワークシートに書いたことを発表してください。（子どもに発表させる）口にはいろいろな働きがあることが分かりましたね。

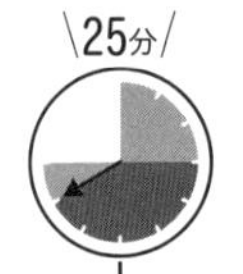

よくかむと口の中のセンサーがよく働くことを学習し、センサーが働くことが大事なことを知ります。グループごとにセンサーを活発に働かせるアイデアを考えます。

④実は、口の中にはいろいろなセンサーが働いているのです。これから代表的な5つのセンサーについてお話しします。

⑤1つ目は、「口の中にどんなものが入ってきたかわかるセンサー」です。ガムをかんだ時、はじめはやわらかかったけれど、だんだんかたくなったと感じた人がいましたね。食べ物を口に入れる時、最初に唇に触れましたね。唇や口には、神経がたくさんあって、かたい、やわらかい、液体、泡のようなもの、熱い、冷たい、つるつるしている、ざらざらしている、ぷちぷちしているなど、食べ物のいろいろな様子を感じることができるんです。このセンサーを「触覚」といいます。

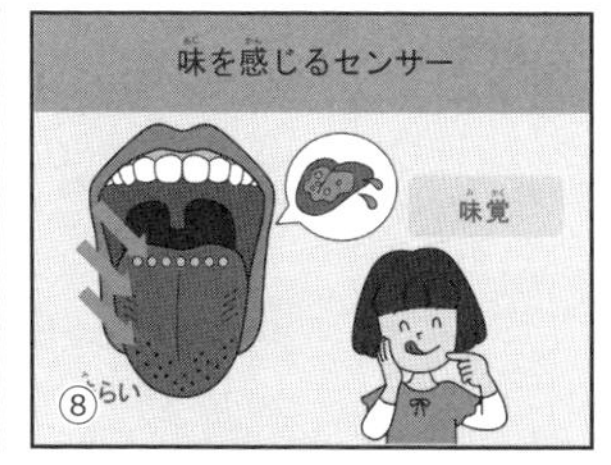

⑥２つ目は、「かんでだ液がたっぷり出るセンサー」です。ガムを食べた瞬間から、口の中にはだ液がいっぱい出てきましたね。食べ物は、だ液と混ざり合うことでかみやすくなり、飲み込みやすくなります。例えば、水気の少ないパサパサした物を食べた時、よくかんでだ液が出てきたら飲み込みやすくなったと感じたことはありませんか？　このように、だ液には、食べ物を飲み込みやすくする働きがあります。

⑦そして、かめばかむほどよく働くセンサーがあります。

⑧それは、「味を感じるセンサー」です。ガムをかんだ時、はじめは甘かったけれど、だんだん味がなくなってきましたね。口の中には「味蕾」と呼ばれる味を感じる部分があります。味蕾は、水分に溶けた物でないと味を感じにくいという性質があります。そこで、よくかんでしっかりだ液を出して食べ物とだ液を混ぜ合わせます。すると、味を感じやすくなるというわけです。この味を感じるセンサーを「味覚」といいます。

⑨４つ目は、「音を感じるセンサー」です。例えば、おせんべいを食べた時、「バリバリ」といった音がしますね。口の中でかんだ時の音は、まず歯や頭の骨から耳の中の内耳と呼ばれるところへ振動が伝わって、聴覚神経によって「音」として認識されます。この音が、おいしさを演出してくれるのです。それに、飲み込む前には音はほとんど聞こえなくなるので、飲み込むタイミングも分かります。このセンサーを「聴覚」といいます。

⑩そして最後は、「かおりを感じるセンサー」です。ガムを口の中に入れた瞬間、甘い香りが口の中に広がるのを感じましたか？　香りやにおいを感じるセンサーは、かめばかむほど口の中で働きます。これを「嗅覚」といいます。

進行上のポイント

授業のはじめにPPT5、6、8、9、10を印刷しておいて、確認しながら黒板に貼ります。

⑪どうですか？　口の中の５つのセンサーの働きが分かりましたか？　これらのセンサーが働くと、食事がよりおいしく感じられることが分かりましたね。実は、体にもとてもいいことがあるんです。どんないいことがあると思いますか？　一緒に見ていきましょう。

⑫まず１つ目は、消化を助けてくれます。よくかむことで食べ物はだ液とよく混ざります。すると、だ液に含まれる消化酵素が働いて、食べ物は消化にいい、胃にやさしい食べ物になります。

⑬２つ目は、病気を予防してくれます。ガムを食べた時、歯がツルツルになりましたね。だ液が口の中に残っている食べかすを流す役目をして、むし歯を予防するのに役立ちます。それに、細菌やウイルスをやっつけたり、細菌から体を守ってくれるので、病気を予防することができます。

⑭３つ目は、頭や気持ちがすっきりします。よくかむことで、脳に流れる血液の量が増えて脳を刺激するので、活発になり、頭や気持ちがすっきりします。

⑮４つ目は、命も守ってくれます。命を守るなんて、少し大げさだと思うかもしれませんが、食べ物をよくかまないでそのまま飲み込んだら、喉が詰まって窒息してしまいますよ。それに、腐った物は味が変わっているから、飲み込む前に吐き出します。このように、口の中のセンサーは、体に入れていいもの、飲み込んでいいものと、いけないものを区別して、命を守っているのです。

進行上のポイント

ブレスト会議を行うため、ブレストシートと黄色の付箋を用意し、子どもたちに配布します。ブレスト会議は３～４人で行うと意見が広がりやすいです。

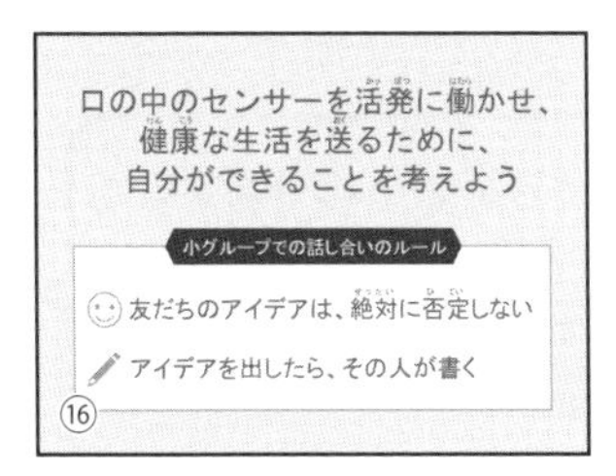

⑯口の中のセンサーが働くと、私たちの体にとてもいいことが分かりました。それでは、これからブレスト会議をします。テーマは、「口の中のセンサーを活発に働かせ、健康な生活を送るために、自分ができることを考えよう」です。口の中の5つのセンサーを働かせて健康な生活を送るために、どんな工夫ができるか、考えて発表しましょう。
その時は、次のルールを守りましょう。

●友だちのアイデアは絶対に否定しません。「いいね」「そうだね」「いいね。付け加えて○○はどう？」「そうだね。こんなのはどう？」と返事をしましょう。
●アイデアを出したら、その人が黄色の付箋に書きましょう。

ヒント

班での話し合い

ブレインストーミング（集団でアイデアを出し合うことによって相互交錯の連鎖反応や発想の誘発を期待する技法）で、付箋にいろいろな意見を書き出していくと、出された意見に関連して意見が広がったりします。

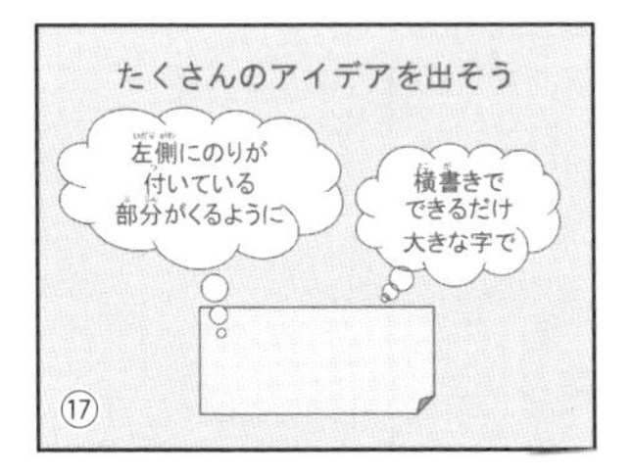

⑰付箋の書き方を説明しておきます。左側に糊がついている部分がくるようにして、横書きでできるだけ大きな字で書きましょう。では、これから7分間で話し合いながら、たくさんのアイデアを出して書いていきましょう。（グループワークを行う）

ヒント

意見が出にくい場合は…

意見があまり出ていないグループには、5つのセンサーの掲示を見るようにいい、5つのセンサーが働くためにどんなことをしたらいいか考えるようアドバイスします。

進行上のポイント

子どもたちにピンクの付箋を配り、鉛筆と付箋を持って移動するよう伝えます。他のグループで出た意見で「いいな」と思った意見をスパイしてきてごらんというと、スパイという言葉に反応して、よりよい意見を拾ってくるようになります。

⑱では、これからスパイタイムを3分間取ります。他の班のアイデアで、いいなと思うものを各自ピンクの付箋に書いていきましょう。書き方は同じです。

❸ まとめ

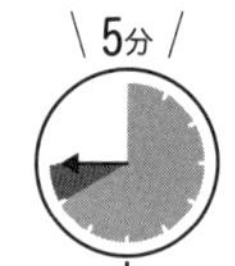

今日の学習をふり返り、まとめたアイデアの中から今日から実行しようと思うアイデアを発表させます。

⑲（グループワークの後）たくさんのアイデアが出ましたね。それでは、最初に考えた黄色の付箋のアイデアと他の班からスパイしてきたピンクの付箋のアイデアをグループ分けしてください。そして、グループで出し合ったアイデアを参考にして、ワークシートに「口の中のセンサーを働かせるために今日から実行すること」を１つ選んで、宣言してみましょう。（ワークシートに記入させる）

⑳今日はかむことの力について学習しました。食べ物を食べる時にはよくかんで、口の中の５つのセンサーを活発に働かせて、健康な生活を送りましょう。

MEMO

③トップアスリートの秘密

低学年　**中学年**　高学年　中学生　高校生　保護者

1 ねらい

・トップアスリートの生活について考え、オリンピック・パラリンピックに向けた日々の努力について知る。
・トップアスリートの生活から、今の自分の生活にいかせることを考え、実践しようとする。

オリンピック・パラリンピックに出場する選手は、その一瞬にすべてをかけて、自分のもっている最大限の力を引き出そうと試合に臨みます。その緊張感と期待感、その時の集中力は想像をはるかに超えるものです。また、オリンピック・パラリンピック出場までの努力ははかり知れず、４年に１度しかないオリンピック・パラリンピックにベストパフォーマンスで臨めるよう、練習はもちろんのこと、食事や健康管理、心の健康など「心・技・体」を鍛え抜いています。オリンピック・パラリンピック出場を目指して、希望をもち、日々の生活に具体的な目標をもって過ごしていかなければ、４年という長い年月を過ごすことは難しいです。本授業では、歯を中心にした健康な生活について考えを深めていき、歯が健康や運動能力を引き出す上で重要な役割を果たしていることを実感することができます。さらにオリンピック・パラリンピック選手の日々の生活について考えることで、今の自分の生活にいかせることを見出し、実践しようとすることができると考えます。

2 指導案

	時間	学習内容	教材
導入	5分	①オリンピック、パラリンピックと聞いて、思い浮かべる選手をあげ、トップアスリートが、どのような思いでオリンピックなどを目指し、どのような気持ちなのか知る。	PPT 教材1、2 ある選手のエピソード
展開	20分	②本時の課題を知る。 ③ブレスト会議を行い、トップアスリートがどのような生活をして、4年に1度のオリンピックを目指しているのかを考える。 ・ブレスト会議（5分）→スパイタイム（2分）→確認（3分）→まとめ（5分） ④まとめたことを発表する。	PPT 教材3～10 ブレストシート 付箋（黄色、ピンク色）
	5分	⑤トップアスリートの生活の中で、特に歯と口の健康に関することを知る。	PPT 教材11～15 キーワード
	10分	⑥スポーツ選手とかみしめる力の関係について知り、体感する。歯をくいしばっている時と口を開けている時の力の入り方を比べる。	PPT 教材16～21 歯のくいしばり実験 砂袋持ち上げ実験 ワークシート
まとめ	5分	⑦本時をふり返り、今日学習したことから、トップアスリートの生活について考え、今の自分が、より健康な生活を送るためにできることを考える。	PPT 教材22 ワークシート

3 準備するもの

- 3-3：パワーポイント教材
- 3-3：ワークシート
- 3-3：キーワード
- 付箋（黄色とピンク色）
- 砂袋

- 3-3：ブレストシート
（四つ切画用紙またはB4用紙）

4 指導の実際

ヒント

こんな人と一緒に

学級担任、歯科医と一緒に授業を行うと効果的です。

❶ 導入

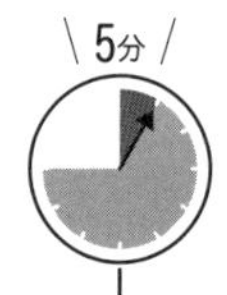

導入として、トップアスリートがどのような気持ちでオリンピック・パラリンピックを目指しているのかを考えることによって、学習に課題をもって取り組めるようにします。

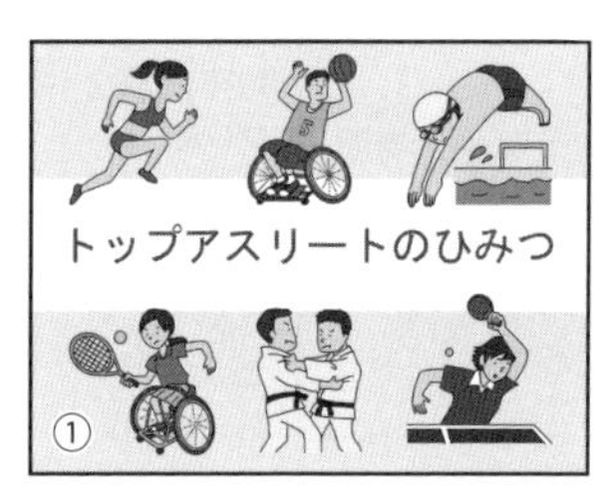

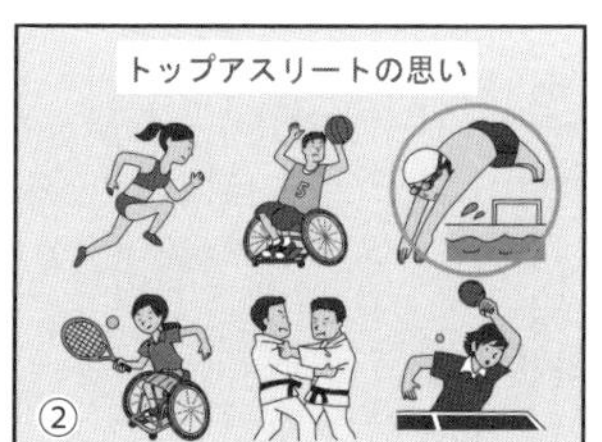

①今日のテーマは、「トップアスリートの秘密」です。みなさんは、トップアスリートと聞いてどんな人を思い浮かべますか？　まず思い浮かぶのは、オリンピアン、パラリンピアンと呼ばれるオリンピックやパラリンピックに出場する人たちでしょうか。

②では、そんなトップアスリートは、どのような思いでオリンピック・パラリンピックを目指しているのでしょう？　ある水泳選手のエピソードを紹介したいと思います。その人は高校生で、飛び込み競技をしています。
「私が本格的に競技をはじめたのは小学校１年生の時で、オリンピックを意識するようになったのは、小学校４年生のころでした。オリンピックの本番で、実力を出し切って最高の演技ができるよう、毎日練習しています。高校生としてやりたいことはたくさんあるけれど、努力が何よりも大切なので練習は休みません。アスリートとして、競技人生の中でオリンピックを目指すことができるチャンスを逃したくないと思っています。家族への感謝の気持ちを忘れず、みんなの思いを力に変えてたたかいたいと思っています。」
トップアスリートは、オリンピック・パラリンピックで最高のパフォーマンスをするために、毎日の生活の中で努力を積み重ねていることが分かりますね。

❷ 展開

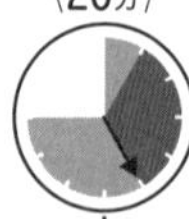

ブレスト会議をして、トップアスリートがどのような生活をしてオリンピックを目指しているかを考え、発表します。

③では、トップアスリートの生活にはどんな秘密が隠されているのでしょう？　今日は、みなさんに今の自分の生活をふり返って、その中からトップアスリートの秘密を探ってもらいたいと思います。

進行上のポイント

ブレスト会議は３～４人で行います。グループごとにブレストシートを配布し、黄色の付箋を子どもたちに配布します。グループワークでは、子どもたちが各々、グループ内で自分の意見が出せるように支援しましょう。

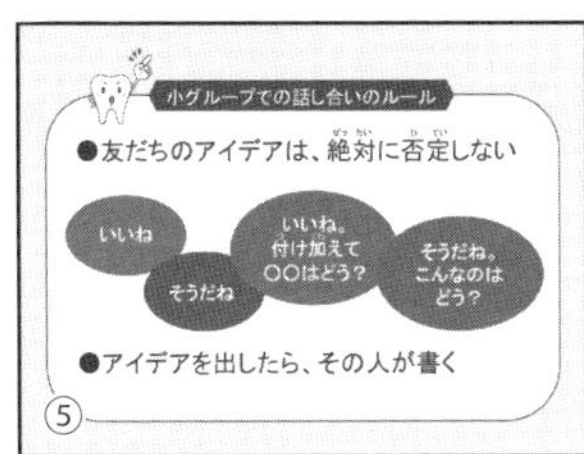

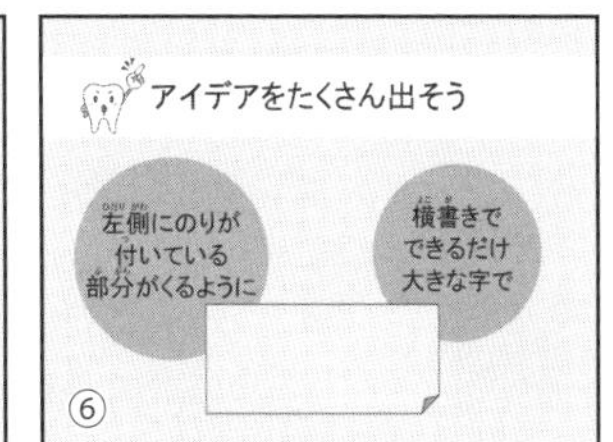

④これからブレスト会議をして、トップアスリートの秘密を探っていきましょう。テーマは、「トップアスリートは、どのような生活をして、４年に１度のオリンピックを目指しているのか考えよう」です。

⑤ブレスト会議では、次のルールを守りましょう。友だちのアイデアは絶対に否定しません。「いいね」「そうだね」「いいね。付け加えて〇〇はどう？」「そうだね。こんなのはどう？」と返事をしましょう。また、アイデアを出したら、その人が黄色の付箋に書きます。

⑥付箋は左側に糊がついている部分がくるようにして書きます。横書きでできるだけ大きな字で、１枚の付箋に１つのアイデアを書くようにします。

進行上のポイント

タイマーを準備して、５分後に鳴らします。

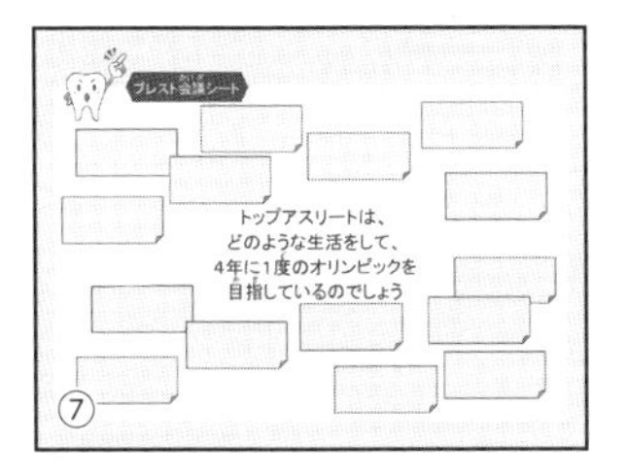

⑦付箋に書けたら、ブレストシートに貼りましょう。それでは、これから５分間で話し合いながら、トップアスリートの秘密をたくさん書いていきましょう。

進行上のポイント

子どもたちにピンクの付箋を配り、付箋と鉛筆を持って移動するよう伝えます。タイマーを2分にセットします。

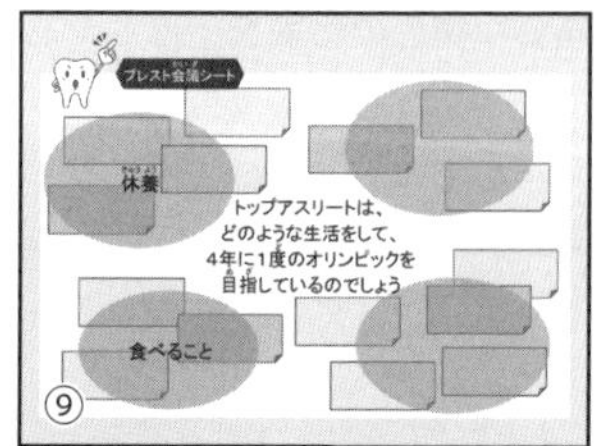

⑧これからスパイタイムを2分間取ります。他の班のアイデアで、「いいな」と思ったものを各自、ピンクの付箋に書いていきましょう。書き方は、黄色と同じです。

⑨みなさん、アイデアは書けましたか？　それではこれからまとめの時間を取ります。まず、確認の時間を3分間取ります。最初に自分が考えたアイデアと、他の班からスパイしてきたアイデアを確認しましょう。続いて、まとめの時間を5分間取ります。ブレスト会議で出たたくさんのアイデアとスパイしてきた友だちのアイデアをよく見て、似ているアイデアをグループに分けます。分けたら、グループの内容が分かるキーワードも書いておきましょう。

進行上のポイント

黒板にキーワードを貼ります。

⑩それでは、これから各班で出されたアイデアを紹介してもらいたいと思います。まず、キーワードを発表して、続けてアイデアを1つ発表してください。（発表のあと）どの班もよいアイデアを出すことができましたね。トップアスリートが日々の生活の中で、努力を積み重ねていることに気づくことができましたね。実は、トップアスリートはもとより、多くのスポーツ選手が自分の力を十分に発揮するために、歯と口の健康を意識しているそうです。

5分

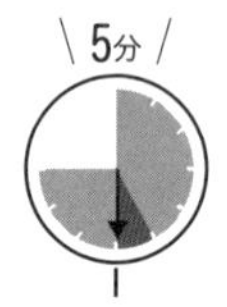

ここでは、関心の高いスポーツ選手の歯のケアについて知らせます。

ヒント

歯科医から直接話を聞くことができると、いっそう説得力が増し、子どもたちの関心をひくことができます。

⑪スポーツ選手が、歯と口の健康を守るために、どのようなケアを心がけているのか、歯医者さんに教えてもらいました。

⑫多くのスポーツ選手は、かみ合わせをよくするため、矯正治療を受けています。ただし、接触プレーが多い競技には、ワイヤーによる矯正は向いていません。そのような場合は、マウスガード（マウスピース）を使えば矯正は可能です。

⑬ラグビーやボクシングなど、競技種目によってはマウスガードを必ず装着して、歯・口のけがの防止に努めています。また、けがの防止だけでなく、かみ合わせを改善するためにマウスガードを装着して、よいパフォーマンスが行えるようにしている選手もいます。

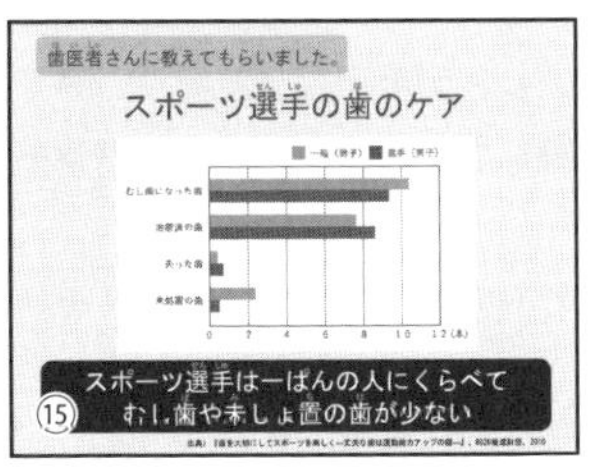

⑭海外で活躍している選手の中には、わざわざ帰国して、かかりつけの歯科医院で治療を受ける選手もいるそうです。歯と口の健康がスポーツに深く関係していることをよく理解して、よりよいパフォーマンスをするために、積極的に歯や口の健康を守ろうとしているのですね。

⑮このグラフを見てください。下がスポーツ選手、上が下のスポーツ選手と同世代の一般の男の人です。スポーツ選手は、一般の男の人よりむし歯が少ないですね。また、治療していない歯も、ほとんどありません。このことからも、スポーツ選手がいかに歯を大切にしているかが分かります。

\10分/

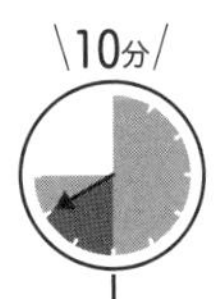

ここでは、口を開けている時と奥歯をかみしめている時の力の出方を体感させ、歯をかみしめることと力を出すことが関係していることを実感させ、ワークシートに記入させます。また、スポーツ選手の総咬合力の実験結果を提示し、かむこととスポーツの関係へと話題を発展させます。

進行上のポイント

校庭に置いてある砂袋など重さを感じるものを、あらかじめ教室へ運んでおきます。また、体験する際には立って行うようにします。

⑯歯は誰にとっても大切ですが、特にスポーツで頑張りたい人にとっては、重要です。それではここで、スポーツとかみしめる力の関係について、２つの体験をしてみましょう。

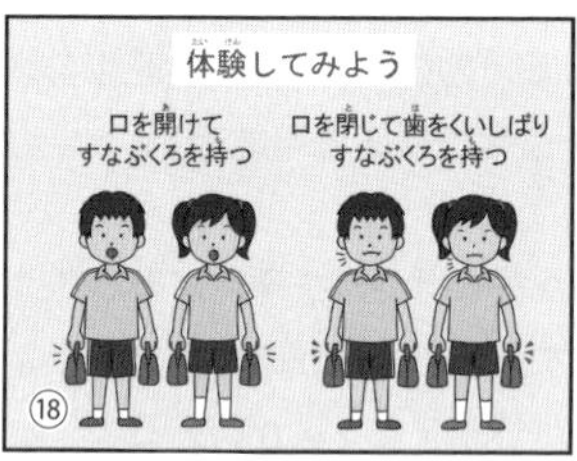

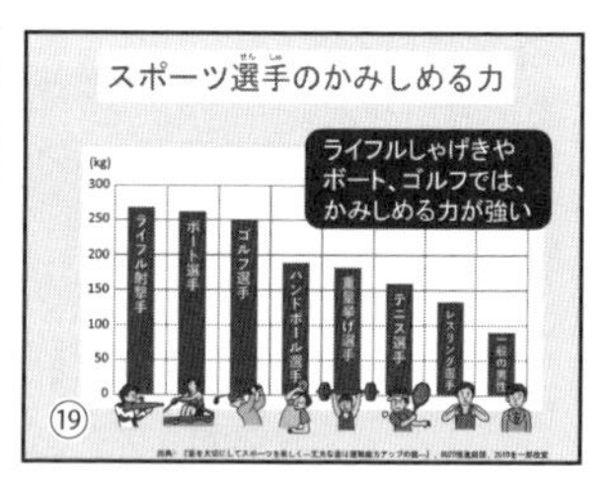

⑰まず、口を開けたまま両手をぐっと握りしめてみてください。力が入りましたか？　次に、口を閉じて歯をくいしばり、両手をぐっと握りしめてみてください。力の入り方の違いを体験できたでしょうか？　体験して感じたことをワークシートに書きましょう。

⑱次は、砂袋を持ってみます。口を開けて砂袋を持った時と口を閉じて歯を食いしばり砂袋を持った時の違いを体験してみましょう。体験して感じたことをワークシートに書きましょう。

⑲２つの体験を通して、力を出す時には、かみしめる力が関係していることが分かったと思います。このグラフは、スポーツ選手のかみしめる力を示したグラフです。ライフル射撃やボート、ゴルフの選手はかみしめる力が強いことが分かりますね。

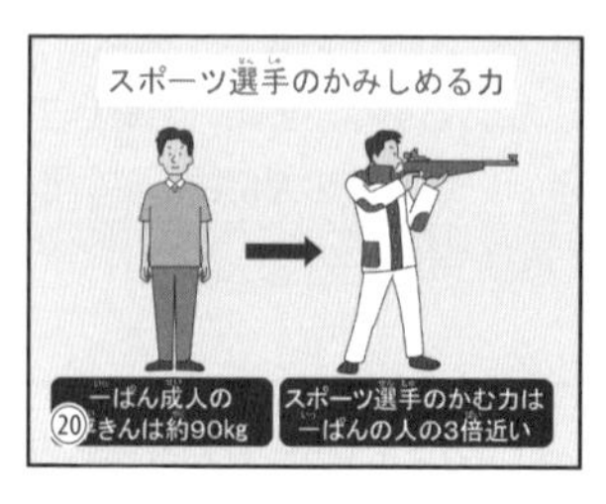

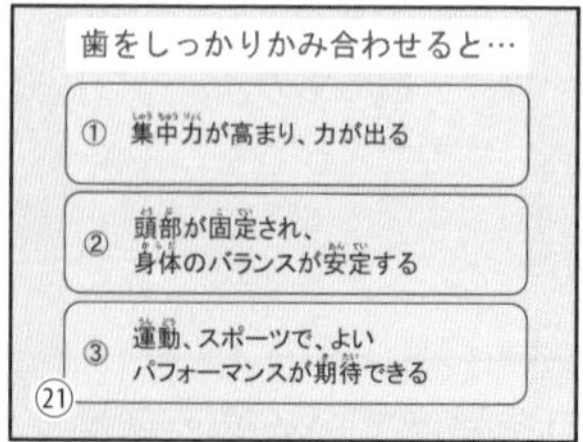

⑳個人差もありますが、一般男性の歯全体でかみしめる力（総咬合力）は、約90kgという研究報告があります※。しかし、姿勢を安定させることが大切なライフル射撃や、強い力でオールをこぐボート競技の選手などは、一般の人の３倍近くのかむ力（咬合力）があります。かむ力とパワー

には、深い関係があることが分かります。
※『歯を大切にしてスポーツを楽しく～丈夫な歯は運動能力アップの鍵～』8020推進財団、2010より

㉑このように、しっかり奥歯をかみしめて力を出すためには、歯のかみ合わせが重要です。歯をしっかりかみ合わせることができると、「集中力が高まり、力が出る」「頭部が固定され、身体のバランスが安定する」「運動、スポーツでよいパフォーマンスが期待できる」というよいことがあります。

❸まとめ

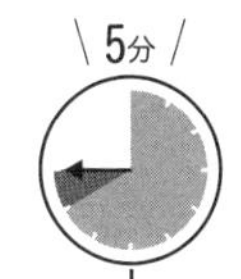

学習のまとめとして、トップアスリートの生活の中で、今の自分にできることをワークシートに記入させます。

㉒今日は「トップアスリートの秘密」の学習を通して、スポーツ選手が日ごろから健康に過ごすために、生活の中で日々工夫したり気をつけていることがたくさんあることが分かりました。また、特にスポーツ選手にとって、歯と口の健康が重要なことも分かりました。それでは最後に、今日の学習のまとめとして、みなさんがこれから健康に過ごしていくために今の自分の生活をふり返って、その中でいかしていきたいと思うことや、歯と口の健康を守るために自分にできることなどを、ワークシートに書きましょう。

④歯ッピースマイル大作戦

低学年　中学年　高学年　**中学生**　高校生　保護者

ねらい

・歯・口の健康は、素敵な笑顔でいきいきと生活できる心やからだに大きく関係していることを理解する。
・素敵な笑顔でいきいきと生活するために、歯・口を中心とした健康づくりの実践目標を考える。

う歯の保有率が低下してきたものの、歯肉炎の増加や口呼吸、よくかまない習慣等の課題はあり、思春期においても歯・口の健康づくりは欠かせません。自分の目標にしたい人や大切にしたい人の笑顔から、読み取れる、考えられる生活習慣や生き方などをもとに、自分の歯・口の健康行動の実践化につなげたいと考えました。

2 指導案

時間		学習内容	教材
導入	2分	①事前のワークシートで持ってきた笑顔の魅力を考える。	PPT 教材 1 ワークシートの写真、ポスターなど
展開	33分	②笑顔の共通点を見つける。 ③素敵な笑顔の人たちの日ごろの生活の様子や、心やからだの様子で想像したことを、ブレインストーミングで、班員に伝える。 ④皆で出し合った意見を、〈生活や心の様子〉〈からだの様子〉に整理していく。 ⑤歯・口の健康は素敵な笑顔で生活ができる心やからだに大きく関係していることを学ぶ。 ⑥ 乳幼児～小学校低学年 / 小学校高学年～中学生 / 高校生～大人 の時期に歯・口の健康のために大切なことを知る。 ⑦どうすれば素敵な笑顔でいきいきと生活できるか、中学生の自分たちができる「歯ッピースマイル大作戦」をグループで考えて、ポスターにする。	PPT 教材 2～16 ワークシート 模造紙 付箋 サインペン
まとめ	15分	⑧グループで考えた「歯ッピースマイル大作戦」を班ごとに発表する。 ⑨素敵な笑顔でいきいきと生活するために、自分たちのステージにおける歯・口の健康づくりを再確認する。	PPT 教材17、18 黒板またはホワイトボード マグネット

3 準備するもの

- 3-4：パワーポイント教材
- 3-4：ワークシート
- サインペン
- 付箋（色の異なる２種類）

歯ッピースマイル大作戦

- 模造紙
- マグネット
- 黒板またはホワイトボード
- 笑顔の写真

4 指導の実際

ヒント

こんな人と一緒に

歯科医、歯科衛生士、学級担任、養護教諭、保健体育科教諭などと一緒に授業を行うと効果的です。

❶ 導入

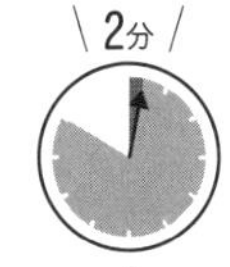

事前に記入してきたワークシートと笑顔の写真を使って、笑顔の魅力について考えさせます。

進行上のポイント

写真を貼ったワークシートは事前に授業者が一度回収して、内容を確認しておき、授業時に本人に配付します。

①今日のテーマは、「歯ッピースマイル大作戦」です。学習にあたって、みなさんに一番好きな笑顔の写真を持ってきてもらいました。みんな、どんな写真を持ってきてくれたかな？　今日はこの写真を使って学習したいと思います。

ヒント

ブレインストーミングを行うため、机を班の形に移動しておきます。その際、感染予防のため、机と机の距離を開けることも必要です。

❷ 展開

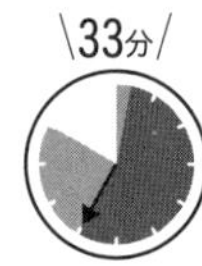

笑顔の共通点についてグループで話し合い、歯・口の健康が素敵な笑顔で生活できる心やからだに関係していることを学びます。また、各ステージで歯・口の健康のために大切なことを学び、グループごとに歯ッピースマイル大作戦を考えさせます。

進行上のポイント

グループごとにワークシートを提示します（１分間）。

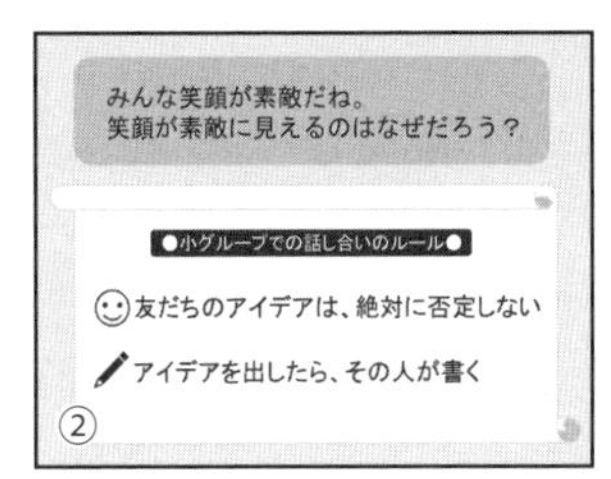

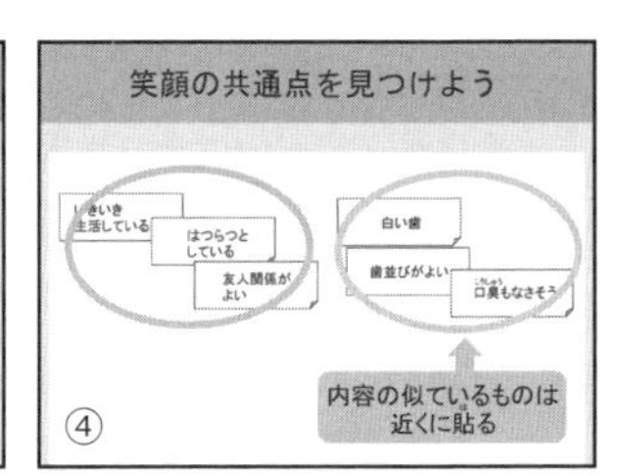

②では、はじめに、小グループで話し合いをします。グループでワークシートの笑顔の写真を見せ合って、笑顔が素敵に見える理由を話し合いましょう。
話し合いでは次のルールを守りましょう。
●友だちのアイデアは絶対に否定しません。「いいね」「そうだね」と返事をしましょう。
●アイデアを出したら、その人が付箋に書きましょう（２種類のうちのどちらかを使う）。

③（グループワークの後）いろいろな意見が出ましたね。それでは、笑顔の素敵な人たちは、日ごろの生活や心やからだの様子に、どんな共通点があるのか、グループで話し合いましょう。話し合った共通点を、１枚の付箋に１つずつ書いてみましょう（②と異なる付箋を使う）。事前に記入してきたワークシート３の内容も参考にするといいですね。では、これから５分間で書いていきましょう。

④付箋に書けたら、模造紙に貼っていきます。内容の似ているものがあれば、近くに貼っていくと見やすいです。時間を５分間取ります。

進行上のポイント

歯・口の様子にも注目させます。

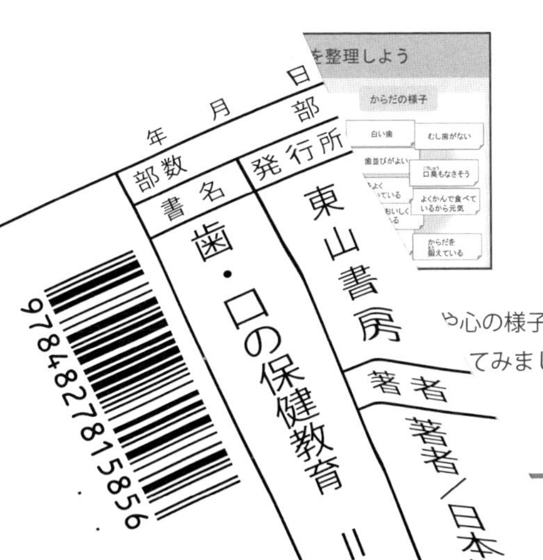

…心の様子にかかわること」と「からだの様子にかかわること」のグルー…てみましょう。時間を5分間取ります。

…説明すると効果的です。

⑥（グルー… …ね。今日は学校歯科医（歯科医・歯科衛生士）の先生にお…ただきました。…顔でいきいきと生活できる心やからだと、歯・口の健康の関係についてお話ししていただきます。

⑦歯・口の健康は、素敵な笑顔で生活できる心とからだの健康とつながっています。あるフィギュアスケート選手は、インタビューで次のように答えていました。「フィギュアスケートにとって顔の表情は大切です。特に笑顔が大切で、白くきれいな歯が決め手になります。それで私は1日に5回くらい歯をみがきます。すっきりして気持ちが引き締まるし、練習にも意欲的に取り組めます。」

⑧また、歯みがきが、ウイルスの攻撃力を抑えることが最近の研究で分かってきました。インフルエンザを例に取ると、インフルエンザウイルスが体内に入る際には、まず喉の細胞に入り込んで仲間を増やします。そのうえ他の細胞にも入り、ついには肺にまで入り込み、肺炎という重い病気を引き起こします。インフルエンザウイルスが攻撃する際、口の中に2つのたんぱく質分解酵素（プロテアーゼ・ノイラミニダーゼ）があると、ウイルスの攻撃が有利に働くのですが、この2つの酵素は何と、歯垢の細菌からつくり出されるのです！　だから、歯みがきをしっかり行って歯垢を取り除くことで、ウイルスの攻撃力を抑えることができるのです。ウイルスの攻撃に負けることなく、毎日の生活をはじめ、自分の好きなことや目指していること、進路などに向けて元気に進みたいですね。

⑨次に、食べ物を食べる時のことをお話しします。おいしそうなものを目
わず笑顔になりますね。私たちはまず口から食べ物を取ります。そして
合わせて食べることで、胃腸への負担をやわらげて胃腸の働きを活発に
期待できます。消化後にからだに吸収された栄養から、私たちの丈夫な
るのです。また、よくかむことで、だ液がたくさん出ます。だ液には口
があり、むし歯や歯周病の予防にもなります。さらに、よくかむことで
が活発になるので、注意力や集中力、バランス能力もアップするといわ
とがたくさんの効果をもたらすことが分かりますね。よくかんでおいし
な歯と歯肉が必要になります。健康な歯と歯肉を守るためには、「歯み

⑩そして、フィギュアスケートの選手も大切にしている笑顔ですが、「笑顔」にも実は免疫力を上げる働きがあります。免疫機能には「自律神経」がかかわっています。自律神経には、主に日中全身の活動力を高めてくれる交感神経と、夜間やリラックスしている時に働き、からだを休め回復させてくれる副交感神経があります。この2つの神経がバランスを取り、免疫機能が働きます。でも勉強や進路、部活や友だちのことなどで気がかりなことが重なったりすると、交感神経が強く働きバランスが崩れます。こんな時に「笑顔」は副交感神経の働きを高めて、自律神経のバランスを取り、免疫力を上げてくれます。また、「笑顔」は、体内に侵入してくるウイルスやがん細胞など、からだに悪影響を及ぼすものを退治してくれるナチュラルキラー（NK）細胞を活発にし、免疫力を上げてくれることも分かってきました。周りの大切な人の「笑顔」を見ていると、自分まで「笑顔」になってくることはありませんか？　また、自分が「笑顔」でいると、目の前の人も「笑顔」になったりしませんか？　いつも「笑顔」で元気に過ごしたいものです。そして、「笑顔」には歯・口の健康が欠かせません（むし歯や歯肉炎で痛みがあったり、歯や口にけがをしていると笑えませんね）。

⑪最後に、ある医療機関の調査では、歯科健診を定期的に受けている人と受けていない人では、がんやその他の病気の治療にかかる医療費に大きな差が出ました。歯・口の健康を保つことは、全身の健康にもつながることが分かります。このように、心とからだの健康は歯・口の健康と密接にかかわっていることが分かりましたね。

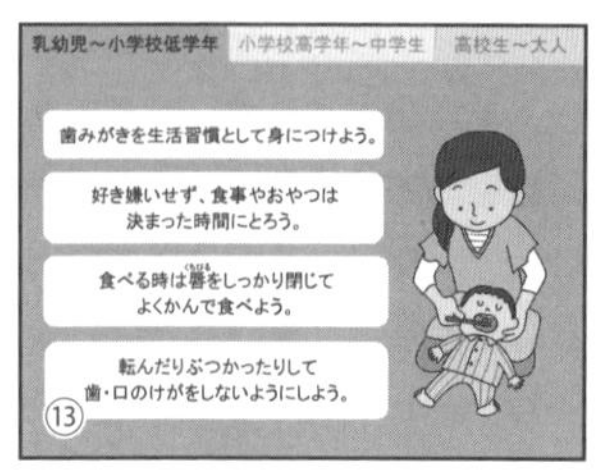

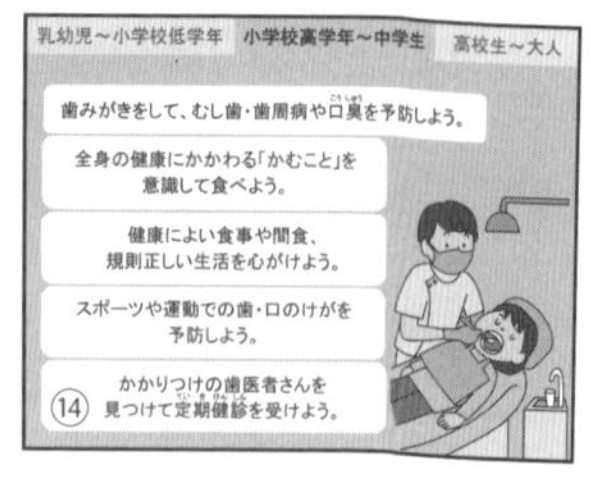

⑫それでは、歯・口の健康づくりのための大切なポイントをお話しします。赤ちゃんから大人までを3つのステージに分けてお話ししますね。

⑬まず、乳幼児から小学校低学年では、歯みがきを生活習慣として身につけましょう。好き嫌いせず、食事やおやつは決まった時間に取りましょう。食べる時は唇をしっかり閉じて、よくかんで食べましょう。また、転んだりぶつかったりして、歯・口のけがをしないようにしましょう。

⑭小学校高学年から中学生では、自分の歯・口に合った歯みがきをして、むし歯や歯周病、口臭を予防しましょう。そして、全身の健康にかかわる「かむこと」を意識して食べましょう。健康によい食事や間食、規則正しい生活を送ることも大切です。また、スポーツや運動、部活動などでも、歯・口のけがを予防しましょう。マウスガードの使用も効果的です。そして、かかりつけの歯医者さんを見つけて、定期健診を受けましょう。

⑮高校生から大人では、歯・口の健康づくりに必要な生活習慣であるよくかむこと、規則的な食事、自分の歯・口に合った歯みがきなどを心がけましょう。また運動やスポーツにおいて、常に歯・口のけがの予防にも努めましょう。そして、必ず定期健診を受けて、一生自分の歯で食べられるようにしましょう。

進行上のポイント

グループごとに模造紙とサインペンを配布します。

ヒント

学習したことをもとに、今の自分たちにできる実行可能な作戦を考えさせます。また、発表の流れも考えさせます。

⑯それぞれのステージで大切なポイントがありましたね。それでは、先生のお話を聞いて、どうすれば素敵な笑顔でいきいきと生活できるか、今の自分たちにできる作戦を考えてポスターを作製しましょう。テーマは、「歯ッピースマイル大作戦」です。これから10分間でグループで作戦を考えて、ポスターをつくってみましょう。

❸ まとめ

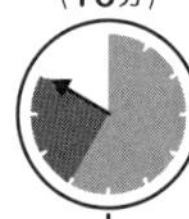

グループで考えた「歯ッピースマイル大作戦」を発表し、自分たちのステージにおける歯・口の健康について再認識させます。

⑰それでは、つくったポスターをもとに各グループで２分間を目安に発表しましょう。(発表の後)みなさんが発表してくれた歯ッピースマイル大作戦について、学校歯科医の先生から講評をいただきます。

進行上のポイント

歯科医、歯科衛生士などから、グループの「歯ッピースマイル大作戦」の評価を受けます（３分）。

⑱今日は、歯と口の健康は心とからだの健康につながることを学習しました。何ごとにも一生懸命に全力で取り組むポジティブな生き方や、自分に自信を持つ自己肯定感が、素敵な笑顔としてあらわれることを忘れずに、今日から「歯ッピースマイル大作戦」を実行していきましょう。

MEMO

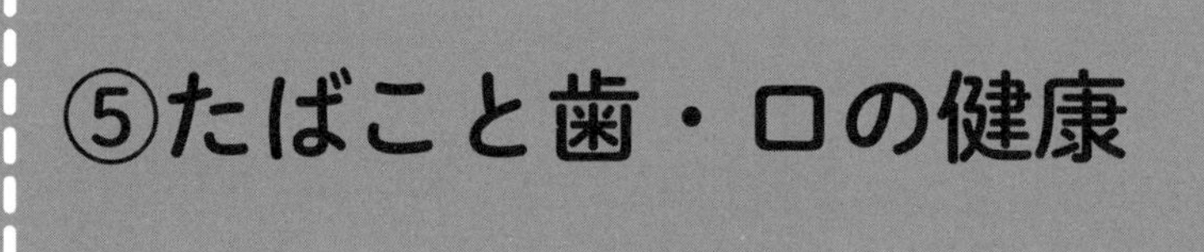

⑤たばこと歯・口の健康

低学年 中学年 高学年 **中学生** **高校生** 保護者

1 ねらい

・たばこ煙には、ニコチン・タール・一酸化炭素などの有害物質が多く含まれていることを知る。
・喫煙が歯や口の健康を阻害するばかりでなく、がんや全身の病気を引き起こす要因になることを知り、大人になっても吸わないという気持ちを高める。
・受動喫煙が、歯や口の健康に影響を及ぼすことを知る。

生活習慣病の共通要因である喫煙が及ぼす影響が、一番容易に観察できる歯・口にあらわれることを認識していきます。中学生・高校生に関心の高い審美あるいはにおいといった事項から見ていくことも効果的です。喫煙経験のない中学生・高校生に生涯、喫煙者にならないことが、健康づくりできわめて大切であるという視点で進めます。また、たばこが持つ依存性薬物の特徴を知ることによって、防煙の重要性も認識できます。健康増進法の一部改正により（2020年4月1日より全面施行）、受動喫煙による歯や口への影響についても触れ、社会環境づくりへの実践力の育成につながることを願っています。

2 指導案

時間		学習内容	教材
導入	10分	①今日の学習内容を知る。 ②喫煙者と非喫煙者の口腔写真を見て、喫煙が歯や口に及ぼす影響について考える。	PPT 教材1～6
展開	30分	③喫煙が全身及び歯や口の健康に与える影響を知る。 ④喫煙が歯や口の病気を起こすメカニズムを知る。 ⑤たばこの依存性薬物としての特徴を知る。 ⑥受動喫煙による歯や口への影響について知る。 ⑦望まない受動喫煙を避けるために、個人で、社会でできることを考え、共有する。	PPT 教材7～22 ワークシート 付箋（黄色、ピンク色） グループシート（模造紙）
まとめ	10分	⑧今日の学習の感想とこれからの健康行動の目標を決め、ワークシートに記入する。 ⑨2～3人が発表する。	PPT 教材23 ワークシート

※展開は、PPT 教材7～21は約10分、22は約20分ですが、大体の目安ですので、対象生徒により、時間配分を調整します。

準備するもの

- 3-5：パワーポイント教材
- 3-5：ワークシート
- 模造紙
- 付箋

たばこと歯・口の健康

年　組　名前（　　　　　　）

1　望まない受動喫煙をさけるために。

●自分ができること

●社会全体でできること

2　家族や身近な人でたばこを吸っている人がいたら、あなたはどんな言葉をかけますか。

3　本日の学習（たばこと歯・口の健康）を受けて

●感想や感じたことを書きましょう。

●今後の行動目標を書きましょう。

4 指導の実際

ヒント

こんな人と一緒に

学級担任、歯科医、歯科衛生士、保健体育科教員などと一緒に授業を行うと効果的です。

❶ 導入

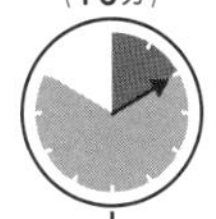

今日の学習では、喫煙が体に及ぼす影響、特に、「歯と口の健康に及ぼす影響」について学ぶことを伝えます。また、写真を見ながら、喫煙の影響を考えていきます。

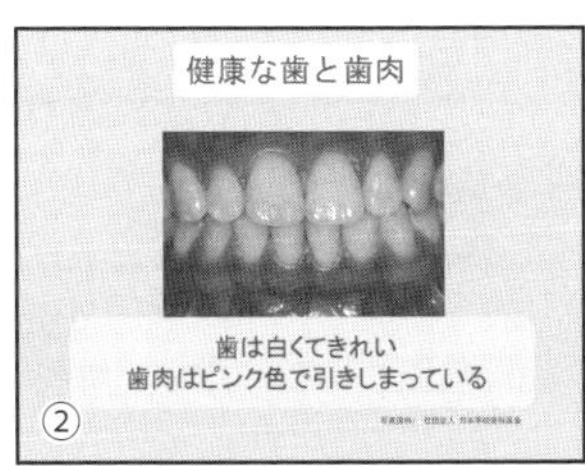

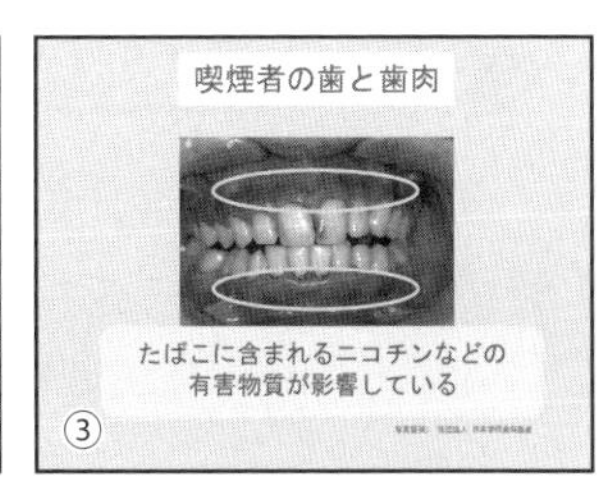

①今日のテーマは、「たばこと歯・口の健康」です。満20歳未満がたばこを吸うことは法律で禁止されています。それは、たばこは私たちの健康、特に成長期のみなさんにとって、大きな影響を及ぼすからです。では、たばこと歯や口の健康には、どのようなかかわりがあるのでしょうか。

②これは、健康な歯と歯肉です。歯は白くてきれいで、歯肉はピンク色で引き締まっています。

③これは、喫煙者の歯と歯肉です。本来はピンク色のはずの歯肉が、黒ずんだ色に変色しています。たばこに含まれるニコチンなどの有害物質が影響しているのです。ニコチンによりメラニンをつくる細胞が活性化し、メラニンの合成が進み、色がついてしまったのです。

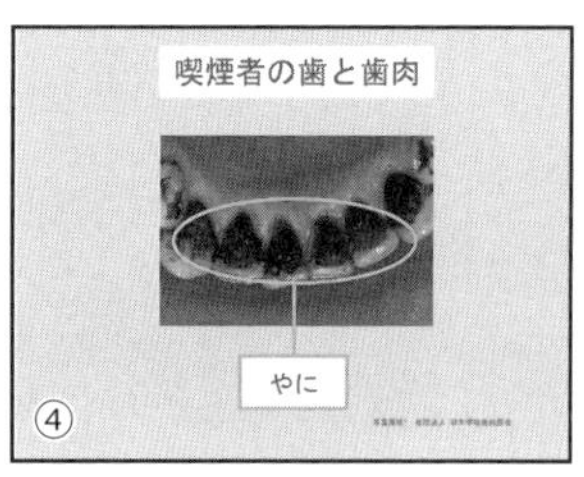

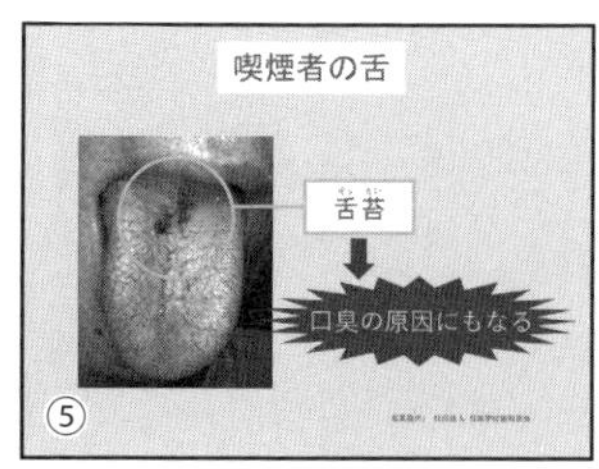

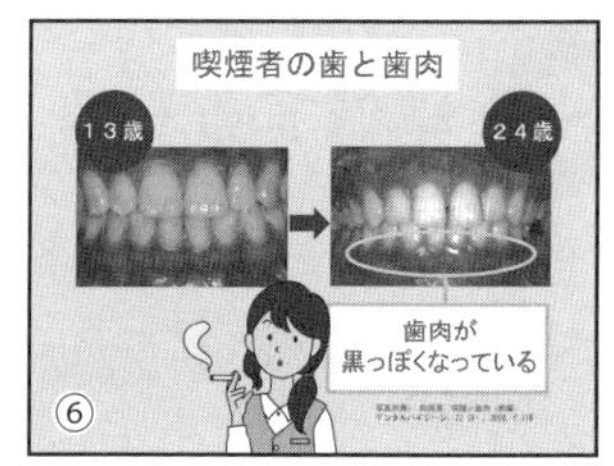

④これは、喫煙者の歯の裏側の写真です。真っ黒に汚れていますね。たばこに含まれるタールをはじめとする「やに」が歯に沈着して、汚れてしまったのです。

⑤これは、喫煙者の舌の写真です。舌は汚れていて、何か苔（こけ）のようなものがたまっていますね。これは、舌苔（ぜったい）です。舌苔が付着して雑菌が増えると、口臭が起こります。つまり、舌苔は口臭の原因の１つです。では、どうして舌苔ができるのでしょうか？　それは、たばこに含まれるタールなどの物質が、舌や歯肉に付着して、だ液の分泌が抑えられるため、口の中の環境が悪くなるからです。

⑥では、たばこを吸いはじめると、歯肉にどんな変化があるのでしょうか？　これは、ある女性が５年間１日10本たばこを吸い続けた、24歳の時の歯肉です。左の写真は、13歳のころの健康な歯肉です。２つの写真を比べて何か気づくことはありますか？　たばこを吸い続けた歯肉は下顎の歯肉が黒っぽくなっているのが分かりますね。「色がつくくらい、たいしたことはない」と思う人がいるかもしれませんが、実は、たばこは、歯周病を引き起こす大きな原因の１つでもあります。

❷ 展開

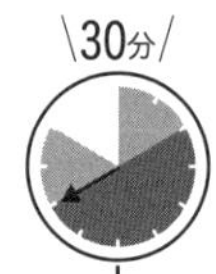

喫煙が歯や口の健康に与える影響、歯周病のメカニズム、依存性薬物としての影響、受動喫煙の影響を解説することで、生徒に健康との関連についての興味を持たせます。

ヒント

歯周病についての詳しい解説は、歯科医や歯科衛生士が行うと効果的です。

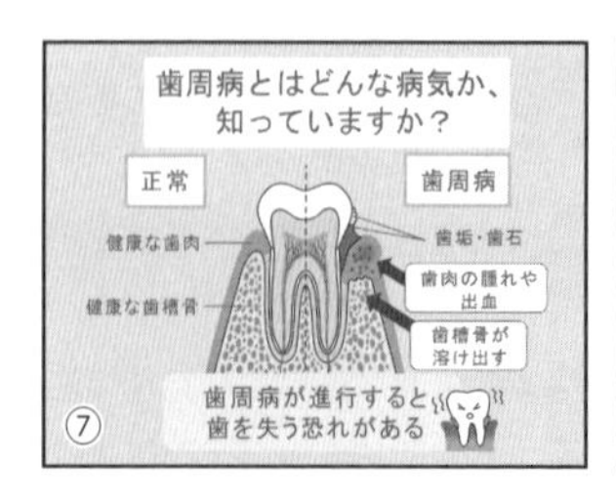

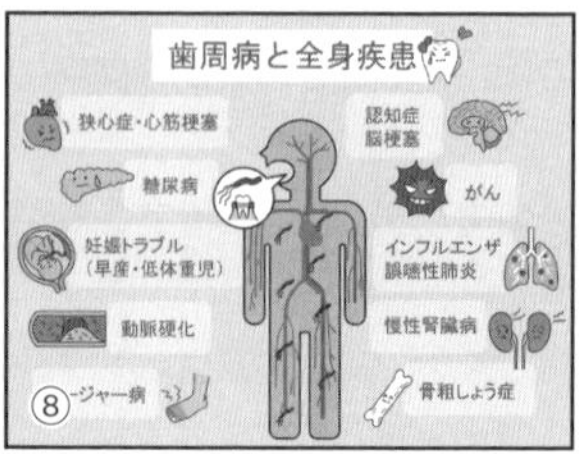

⑦みなさんは歯周病とはどんな病気か、知っていますか？　歯と歯肉の間に歯垢や歯石がつき、歯垢中の細菌の出す毒素によって歯周組織が破壊されていく病気です。歯周病は進行すると、歯を失う恐れがある、とても怖い病気です。

⑧そのうえ、歯周病は、全身に影響を及ぼす病気です。歯周病菌は毒性の強い菌で、血管を通って全身を駆け巡ります。日本人の死亡原因の上位である「がん」「心疾患」「脳血管疾患」「肺炎」のすべてに歯周病菌は関与しています。また、妊娠中には、特に胎児への影響が多く、「早産」や「低体重児出生」などの原因になるともいわれています。

⑨このように歯周病はとても怖い病気ですが、喫煙者は歯周病になりやすく、重症化しやすいといわれています。それは、たばこに含まれる有害物質に起因します。たばこの中には5000種類の化学物質があり、そのうち200種類が人体に害があり、さらに70種類は発がん性物質です。なかでも、たばこ煙の三大有害成分といわれているのが、ニコチン・タール・一酸化炭素で、ニコチンなどの有害物質の作用で血行障害が起き、自分の体を守ろうとする免疫機能が低下したり、傷の治りが遅くなったりするからです。ニコチンなどたばこに含まれる成分がどれくらい血行障害にかかわっているのか、次のスライドを見るとよく分かります。

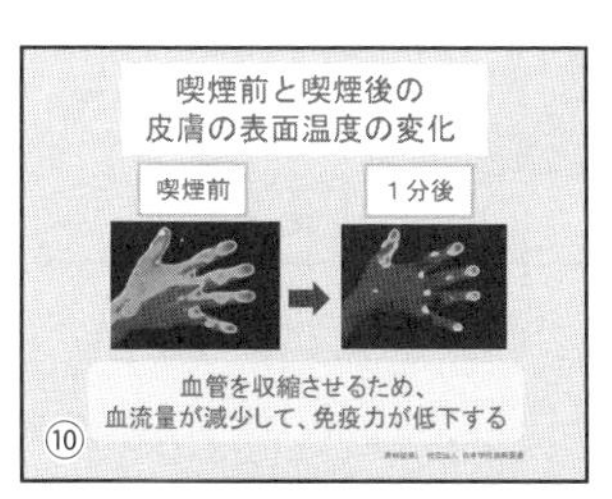

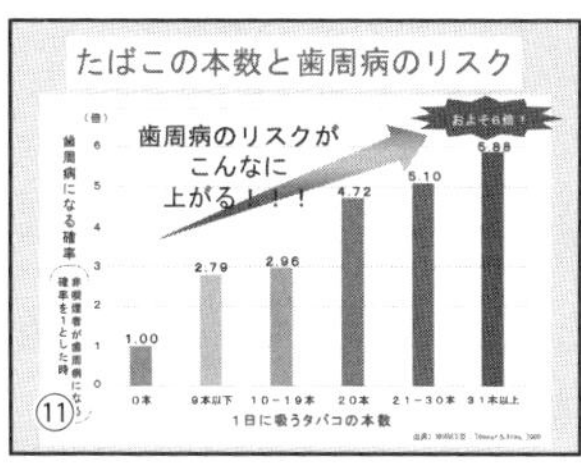

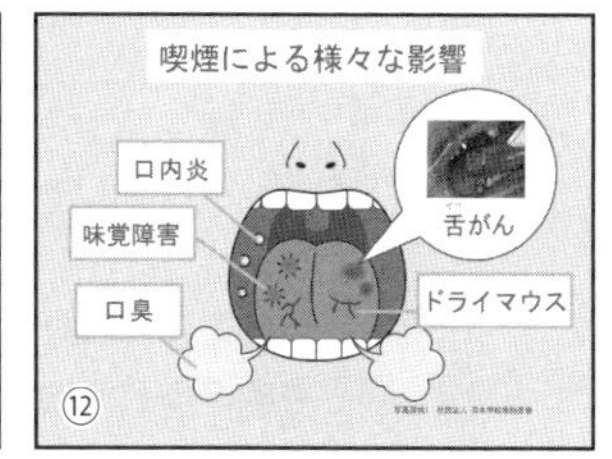

⑩喫煙前と喫煙後の手の皮膚の表面温度の図です。オレンジ色は表面温度が高いところ、青色は温度が低いところです。喫煙後では、オレンジ色の部分が青色に変わり、皮膚の温度が下がっていることが分かります。これは、ニコチンなどたばこに含まれる成分が血管を収縮させるため、血流量が減少しているからです。血流量が減って体温が低くなると、免疫力の低下につながります。実は、この喫煙による温度の変化は、歯肉でも同じように起こります。たばこが歯肉に与える影響は、とても大きいのです。

⑪また、1日あたりのたばこの本数が多いほど、歯周病のリスクが高まることも分かります。非喫煙者と比べると、1日に9本以下の人でもリスクは2. 79倍、1日31本以上吸う人では、そのリスクは5. 88倍まで高まります。一方、禁煙を行うと歯周病のリスクは徐々に低下します。禁煙をはじめて2年までは3. 22倍ですが、11年後には1. 15倍まで低下します。ただし、禁煙をしても10年は歯周病のリスクは高いので、注意が必要です。

⑫喫煙は、体に様々な影響があります。例えば、口臭の原因になります。また、口内炎などの病気にもかかりやすくなります。さらに、味覚、嗅覚が鈍くなり、食べ物がおいしく感じなくなったり、ドライマウスが起きやすくなったりします。最悪の場合、舌がんになることもあります。

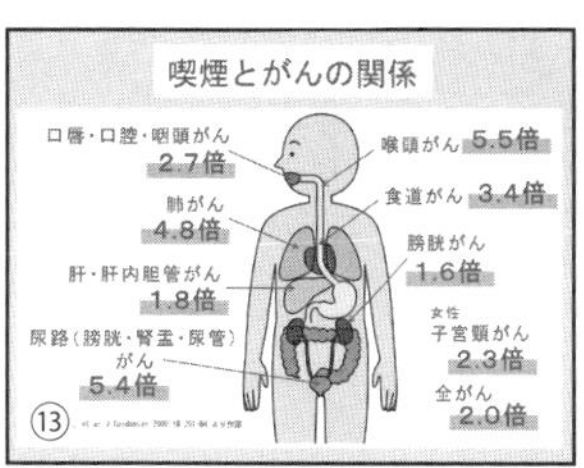

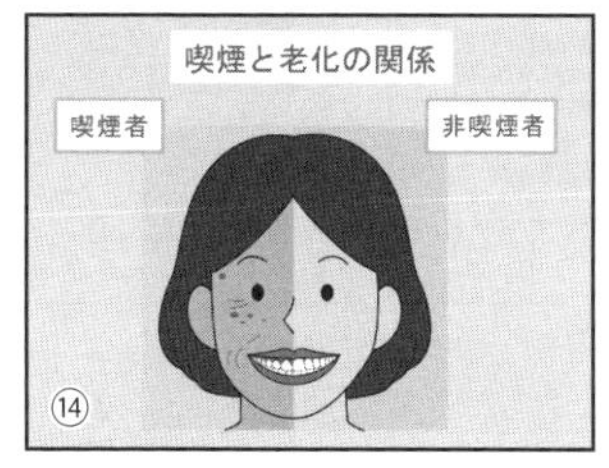

⑬たばこの最大のリスクは発がん性です。非喫煙者と比較すると、影響が大きいことが分かりますね。

⑭それに、たばこは老化を促進させます。喫煙者と非喫煙者ではどちらが老化していると感じますか？　喫煙者は、肌の色が悪く、はりもありません。しみやそばかすが増え、乾燥したしわの多い皮膚ですね。歯にはやにがつき、歯肉の色も悪く、老化が促進していることが分かりますね。

⑮このように、たばこと健康には、深いかかわりがあることが分かりましたね。では、なぜやめられないのでしょう？　それは、「ニコチン依存症」と「心理的依存」が邪魔をしているからです。

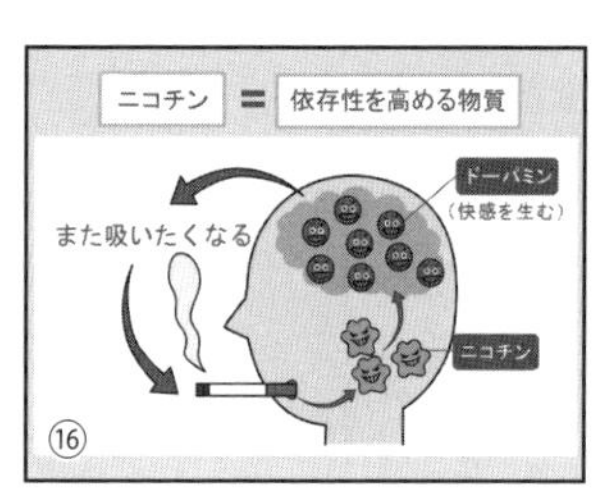

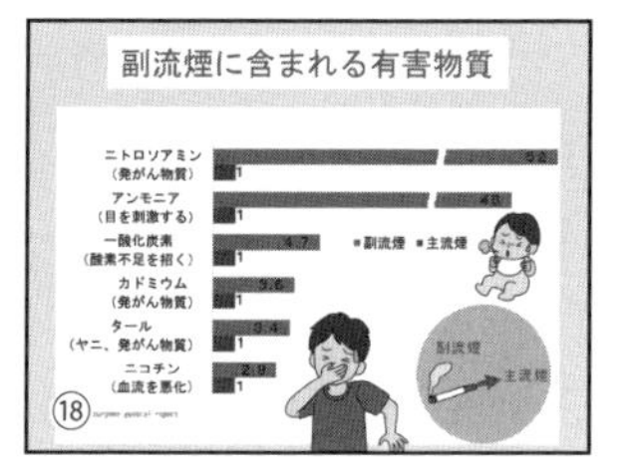

⑯たばこに含まれるニコチンは依存性を高める物質です。肺から血液中に入ったニコチンは約６秒で脳に達し、脳を覚醒状態にさせます。同時に、ニコチンは体内でどんどん分解されて排泄されてしまうため、ニコチンの血中濃度が下がっていきます。濃度が下がると離脱症状が出るために不快となり、また次のたばこに手が出てしまいます。このように習慣的に吸うことで、心理的な依存状態にもなっているのです。

⑰さらに、たばこ煙に含まれる有害物質の濃度について、深刻な問題があります。たばこ煙には、喫煙者が直接吸い込む煙である主流煙と、火のついた先端部分から立ちのぼる煙の副流煙があります。たばこのフィルターを通らない副流煙には、喫煙者本人が吸いこむ主流煙より、高濃度の有害物質が含まれていることが分かっています。主流煙の物質を１とした場合、一酸化炭素は4.7倍、ニコチンは2.8倍、タールは3.4倍です。たばこを吸わなくても、周りに吸っている人がいると副流煙を吸ってしまうことになり、これを受動喫煙といいます。つまり、吸わない人も、自分の意思とは関係なく、たばこを吸っている状態なのです。

⑱このグラフは、副流煙に含まれる代表的な有害物質の割合を、主流煙を１として比較したものです。副流煙の有害さが分かりますね。たばこの煙で目が痛くなったり、喉に刺激が出ることがありますが、これはたばこの中のアンモニアによるものです。

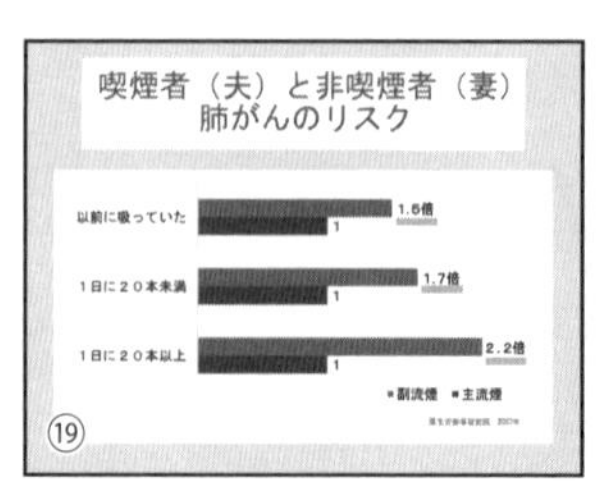

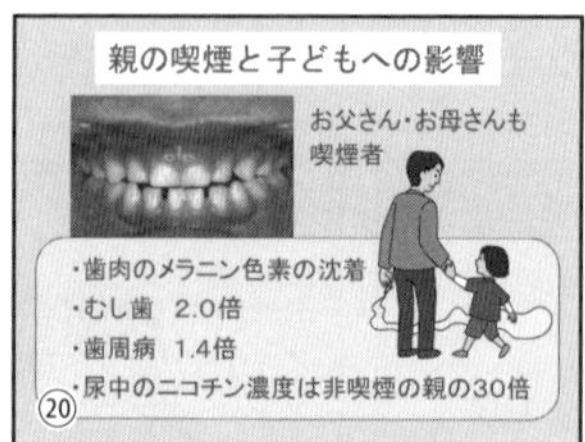

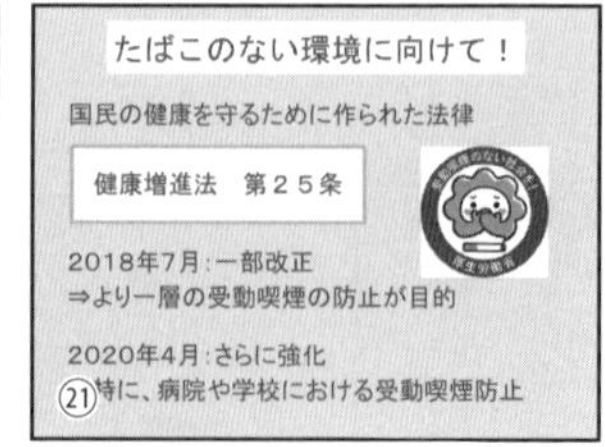

⑲このグラフは、喫煙習慣のある夫と喫煙習慣のない妻の、肺がんにかかるリスクを調べたもので、喫煙習慣のない妻の方が、リスクが高くなっています。つまり、副流煙による受動喫煙の影響による肺がんのリスクが高いということです。

⑳また、親の喫煙による子どもの歯への影響も、多くの研究から明らかになっています。この写真は両親が喫煙している幼児の歯と歯肉です。歯肉に、メラニン色素の沈着が見られます。そのほか、むし歯の罹患率も2.0倍、歯周病も1.4倍になります。また、尿中のニコチン濃度は、両親が非喫煙である幼児と比較し、30倍という研究データもあります。

㉑みなさんは、受動喫煙防止のマークを見たことがありますか？　たばこのない環境に向けて、国民の健康を守るため、「健康増進法」という法律がつくられました。2018年７月、一部を改正する法律が成立し、望まない受動喫煙を防止するための取り組みが、マナーからルールへと変わりました。そして、2020年４月からは、患者やみなさんのような成長期にある人たちの健康を守るため、特に病院や学校において強化されました。

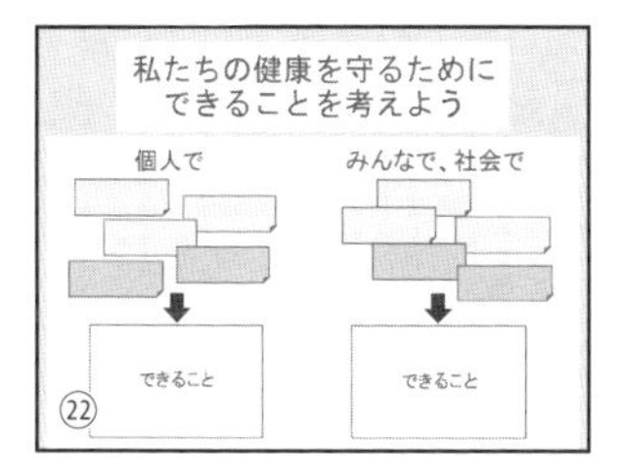

㉒受動喫煙の影響を受けず、健康でいたいですね。個人ではどんなことができるでしょうか？　黄色の付箋に書きましょう。みんなでできることはどんなことでしょうか？　ピンクの付箋に書きましょう。（５分）次に、グループで共有し、グループシート（模造紙）に貼り、内容ごとに整理しましょう。（約10分）グループで話し合った対策を全体で共有しましょう。（約５分）

進行上のポイント

受動喫煙の影響について知り、学んだことをもとに、個人でできることや社会全体での対策について考えて模造紙に貼り、個人→グループ→全体で共有します。

ヒント

グループ討論は、学級担任の指導で行うと効果的です。

3章

❸まとめ

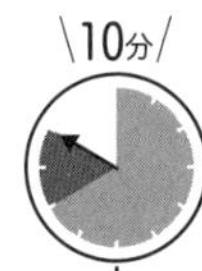

今日の学習のふり返りを行います。ワークシートに感想や今後の健康行動の目標を記入させます。

㉓今日は、たばこと歯・口の健康について学習しました。個人やグループ、全体で共有したことを元に、もう一度自分の考えをワークシートに記入しましょう。（ワークシートに記入させる）もし、みなさんの身近な人でたばこを吸っている人がいたら、どんな言葉をかけますか？　最後に今日の学習を通して学んだことや感じたこと、これからの行動目標を記入しましょう。質問や相談があれば、それも書いてください。保健室で相談にのります。また、歯科医の先生も相談にのってくださるので、心配なことがある人は受診しましょう。

第4章

歯・口のおもしろ体験

・楽しく体験や実験を行い、歯と口の健康について、より深く体感することができる教材です。
・CD−ROM 収録のワークシートなどの教材は編集可能です。各校の実態に合わせてお使いください。

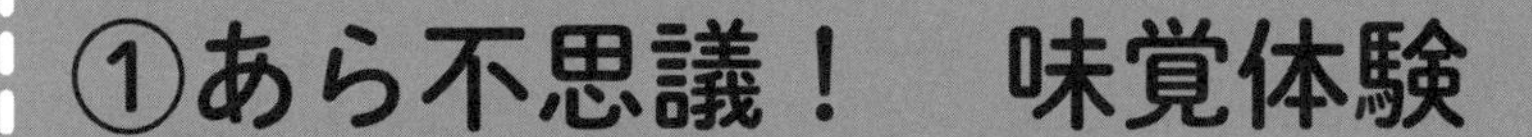

①あら不思議！　味覚体験

1 ねらい

味覚は、口の中の「舌」の奥のざらざらしているところに「味蕾」があり、ここで味を感じます。さらに、目で感じる視覚、鼻で感じる嗅覚などの情報が脳に送られ、おいしさが総合的に判断されます。この視覚と嗅覚を遮断した時、食べ物（グミやポテトスナック）が、何の味かを当てることができるか、試してみる体験です。

視覚と嗅覚が味を感じる時に、大きく関与していることを体感できます。

2 準備するもの

- ２種類の香料の異なる「グミキャンディ」
  （１種類の味を３個ずつ、計６個）
- ２種類の香料の異なる「ポテトのスナック菓子」
  （１種類の味を３本ずつ、計６本）
- ウェットティッシュ
- アイマスク（なければ目を閉じます）
- ◎4-1：ワークシート

なにあじか、あててみよう!

	目をかくし、鼻をつまむ	鼻をつまむ	なにもしない
グミキャンディ	なにあじでしたか？	なにあじでしたか？	なにあじでしたか？
ポテトスナック	なにあじでしたか？	なにあじでしたか？	なにあじでしたか？

舌でわかる味は7種類だけです。口から鼻に空気がぬけると、舌で感じるのと同時に香りを感じて、はじめてきちんと味わうことができます。（よりおいしく味わえるよう、加工食品に香りの元の「香料」を加えることもあります。）
目で見て、鼻で香りを感じて、おいしく食べましょう。

舌でわかる味
すっぱさ
あまさ
にがさ
しょっぱさ
うまみ
からさ
しぶみ
食べ物

3 体験の進め方（方法）

❶はじめに、アイマスクをして（なければ両目を閉じて）、鼻をつまんだ状態で、２種類の香料の異なる「グミキャンディ」を順番に１つずつ食べて、それぞれの味を予想して、ワークシートに記入します。

❷次に、アイマスクを外して（両目を開けて）、２種類の香料の異なる「グミキャンディ」を順番に１つずつ食べて、それぞれの味を予想して、ワークシートに記入します。

❸最後は、鼻をつまんだまま、２種類の香料の異なる「グミキャンディ」を順番に１つずつ食べます。食べている途中で、鼻をつまむのをやめます。すると、口中香（戻り香）が、鼻の奥の「嗅上皮」に伝わり、味がはっきりと分かります。それぞれの味を予想して、ワークシートに記入します。

❹今度は、「ポテトのスナック菓子」を使って、同様に❶～❸を体験します。
❺手をウェットティッシュで拭きます。

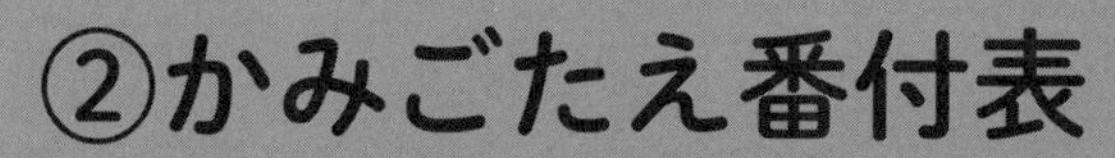

②かみごたえ番付表

～西の横綱（食べ物）・東の横綱（おやつ）～

1 ねらい

よくかんで食べることで、食べ物本来の味を味わうことができます。また、だ液の分泌も促進され、口腔内がきれいになり、消化吸収を助けます。特に、発育期には、よくかむ習慣が顎の骨や筋肉の発達を促すための重要な要素となります。

この「かみごたえ番付表」を使うことで、意図的にかみごたえのある食品を選び、よくかむ習慣を身につけることをねらいとしました。

2 準備するもの

- ◎4-2：食べ物カード（59枚）
- ◎4-2：おやつカード（25枚）
- ◎4-2：かみごたえ取組表
- ◎4-2：かみごたえ番付表

食べ物カード

おやつカード

※裏返すと、「横綱」・「大関」・「関脇」「小結」・「幕下」のイラストになるようにします。

かみごたえ取組表

西(食べ物)	かみごたえ取組表	東(おやつ)
	横綱	
	大関	
	関脇	
	小結	
	幕下	

かみごたえ番付表

西(食べ物)	かみごたえ番付表	東(おやつ)
さきいか／みりん干し（焼） たくあん／にんじん セロリ／大根／キャベツ 豚ヒレソテー／牛ももソテー 鶏ももソテー	横綱 （かみごたえ度7～10）	もち／乾パン かりんとう／干しぶどう アーモンド
スパゲッティ／ごはん イカ／カツオ／かまぼこ ちくわ／かぶ／レタス きゅうり／もやし チャーシュー／しいたけ ピーマンソテー	大関 （かみごたえ度5～6）	くしだんご／白玉だんご フライドポテト
うどん／こんにゃく／なし ハム／さつまあげ／つみれ ごぼう（ゆで）／チーズ りんご／オムレツ／食パン ゆでたまご／マグロ 肉だんご／ソーセージ	関脇 （かみごたえ度3～4）	スナック菓子／えびせん 甘なっとう／ようかん ソフトせんべい／クラッカー カステラ／ポテトチップス ういろう
うずら豆／コンビーフ サケ／ブリ／うなぎ蒲焼き なす／いちご／トマト にんじん（ゆで）／白菜（ゆで） だしまき卵／バナナ パイナップル（缶）	小結 （かみごたえ度2）	クリームチーズ バタークッキー スポンジケーキ スイートポテト／ウエハース
とうふ／大根（ゆで） さつまいも（ゆで） じゃがいも（ゆで）／かぶ（ゆで） すいか／メロン かぼちゃ（ゆで）	幕下 （かみごたえ度1）	ゼリー／カスタードプリン 水ようかん

（参考資料／東京都学校歯科医会：食物かみごたえ早見表）

3 体験の進め方（方法）

×5
食べ物カード

×5
おやつカード

❶今日、食べてみたいと思う物を「食べ物カード」「おやつカード」からそれぞれ５枚ずつ選びます。

❷まず、選んだ「食べ物カード」を見て、かみごたえの大きい物から順に、横綱・大関・関脇・小結・幕下と並べて、かみごたえ取組表の上に置きます。

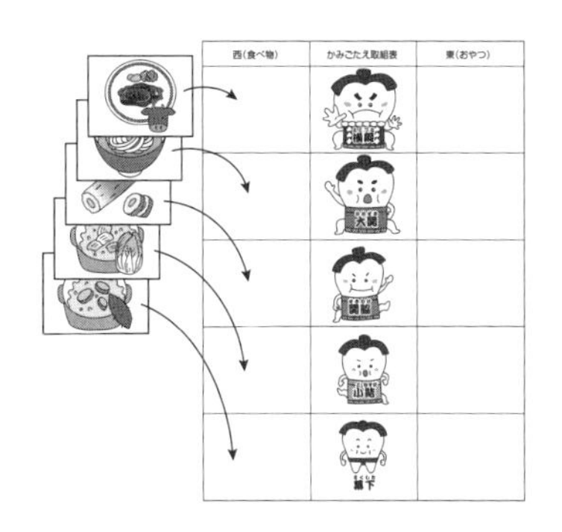

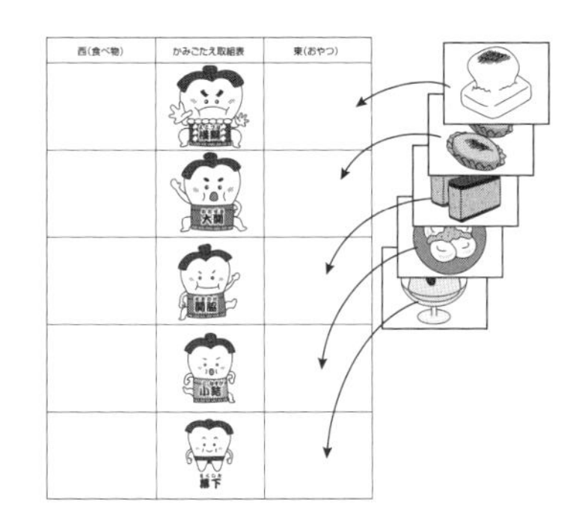

❸同じようにして、選んだ「おやつカード」を見て、かみごたえの大きい物から順に、横綱・大関・関脇・小結・幕下と並べて、かみごたえ取組表の上に置きます。

❹カードの裏には、それぞれ横綱・大関・関脇・小結・幕下のイラストが描いてあります。それを見てかみごたえ取組表のカードを並べ替えます。

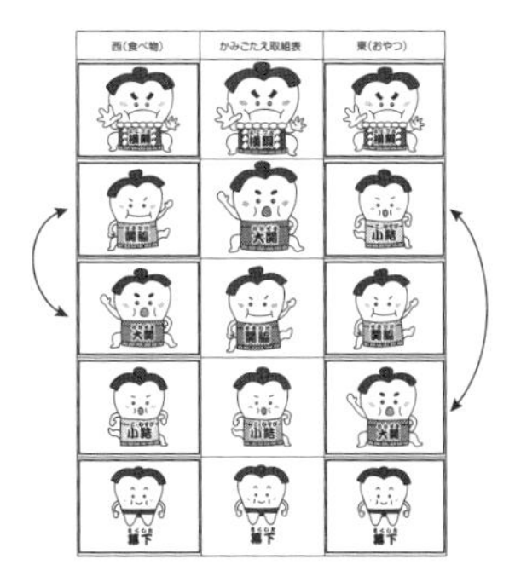

❺今日のおやつや食事の時には、かみごたえ番付表の上位の物を食べて、かむことを意識するようにします。

4章

③食べて・かんで・味わって（五感：視覚・触覚・聴覚・嗅覚・味覚）

1 ねらい

食べ物を食べることで五感は刺激されます。では、実際に口や唇はどのように動いていて、味わうとはどこで感じているのでしょうか。普段何気なく使っている五感や、知らずに動かしている体を改めて意識することで、体・食への関心を高めることをねらいとしました。

2 準備するもの

- あられ餅
- 薄く平たい煎餅
- ◎4-3：ワークシート
- OPP 袋（はがきサイズ）
- 画用紙
- 400字詰原稿用紙

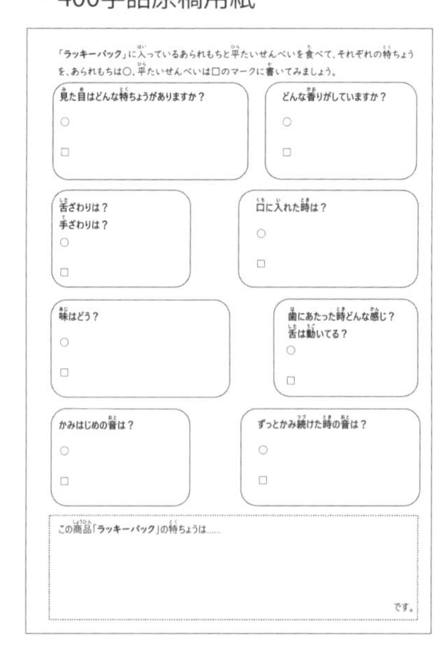

「ラッキーパック」に入っているあられもちと平たいせんべいを食べて、それぞれの特ちょうを、あられもちは○、平たいせんべいは□のマークに書いてみましょう。

見た目はどんな特ちょうがありますか？
○
□

どんな香りがしていますか？
○
□

舌ざわりは？
手ざわりは？
○
□

口に入れた時は？
○
□

味はどう？
○
□

歯にあたった時どんな感じ？
舌は動いてる？
○
□

かみはじめの音は？
○
□

ずっとかみ続けた時の音は？
○
□

この商品「ラッキーパック」の特ちょうは……

です。

3 体験の進め方（方法）

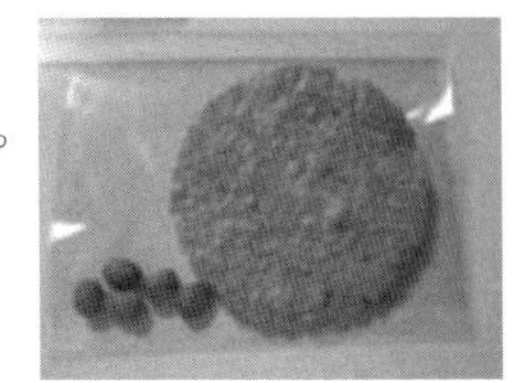
ラッキーパック

❶あられ餅と平たい煎餅を袋詰めして「ラッキーパック」をつくります。
❷ラッキーパックを通して、個人で袋を開けるところから、触り心地と香りを感じ、口に食べ物を入れてかみ砕き、飲み込むまでの一連を体感します。そして、感じたことすべてをワークシートに記入します。

「ラッキーパック」を知ろう！

一人ひとりが商品調査員になって商品（ラッキーパック）を調べます。

1．しっかり見る。（視覚）
2．香りをかいでみる。（嗅覚）
3．袋を開け、手で取り食べる。口に入れてかんで、舌の動きを確認する。（触覚）
4．味わう。（味覚）
5．かんでいる時どんな音がしたか、音はずっとしていたかを確認する。（聴覚）

ワークシート上段を使って調査内容を書き留めておきましょう。

❸次に、班ごとにラッキーパックの１コマ CM をつくります。

「ラッキーパック」をみんなに知らせよう！

ラッキーパックをＣＭプロデュース！

商品は『あられ餅＆平たい煎餅』がパッケージされた『ラッキーパック』です。このラッキーパックを食べると、体のいろいろな部分の動きや働きを意識することができるラッキーポイントがつまっています。そんな不思議な商品をみんなにおすすめするための CM をつくりましょう。

1．ワークシートに書き込んだ内容を意見交換し、自分の気がつかなかったことを知る。
2．ラッキーパックの商品特徴について、おすすめや食べた感想など、CM につながるラッキーポイントを話し合い、ワークシート下段に記入する。
3．班でまとめたポイントを１つにしぼり、画用紙に1コマ CM デザインとともに書く。1コマ CM にあわせたシナリオを400字程度にまとめる。
4．班ごとに考えた CM を発表する（各1～3分）。

留意点

※❷ 1～5は五感を意識させるステップです。
※班活動では、五感別に方向性を持たせても発表が多肢にわたり面白いです。
※ CM のコマ数を増やして紙芝居のようにし、シナリオ原稿もページを増やして発表時間を長くする場合、班でまとめるポイントを１つにしぼらず活動してください。

④ふいて・とばして・うごかして

1 ねらい

キャラクターを吹き飛ばすためには、唇をすぼめる動作が重要であることを学習することがねらいです。「吹いて、飛ばす」という単純な動きから唇の機能に注目して、楽しみながら何回も挑戦します。

2 準備するもの

・◎4-4：吹いて、飛ばして、動かせるキャラクター

・◎4-4：ワークシート

・糸などの細い紐（約50 cm）

3 体験の進め方（方法）

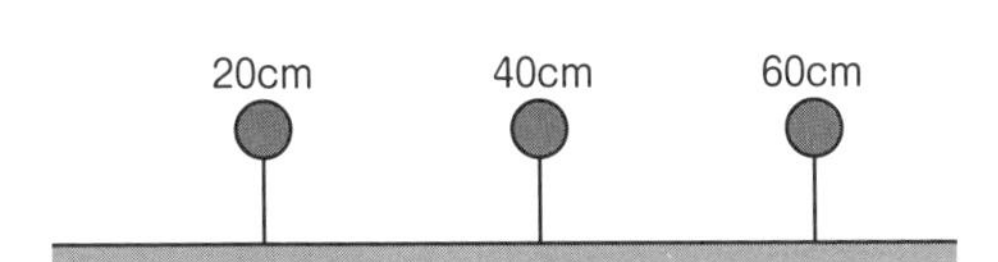

❶あらかじめ、長机などの端から20㎝、40㎝、60㎝のところに、印をつけておきます。

❷長机の端に、吹いて飛ばして動かせるキャラクターを置き、キャラクターに向かって、「ふうーっ」と息を吹きます。

❸飛ばした距離を測ってワークシートに記入します。
❹糸をたぐり寄せ、２回目にチャレンジします。唇の形や息を吹き出すスピード、量などを工夫して、もっと遠くに飛ばせるように挑戦します。
❺キャラクターを複数並べて、同時に「ふうーっ」と息を吹けば、友だちとも楽しむことができます。

留意点

キャラクターを吹き飛ばすためには、唇をすぼめる動作が重要です。
ワークシートにある「あいうべ体操」で唇を上手く使えるようにトレーニングすると良いです。

⑤おお！　フッ素体験

1 ねらい

むし歯予防に用いられるフッ素（フッ化物）はヒトの体をつくる成分であり、必要なミネラル元素です。フッ素は空気、土、海や川の水、植物、動物、食品などあらゆる物に含まれています。

はえたばかりの歯は未成熟であり、むし歯になりやすい状態です。フッ素が未成熟な歯の表面のエナメル質に取り込まれたり、だ液の中のカルシウムと結びついて歯の表面を覆うと、歯は酸に溶けにくい歯に変わります。

歯のエナメル質の主成分はリン酸カルシウム、卵の殻は炭酸カルシウムであり、どちらも酸に溶けます。この実験では、卵を歯に見立てて、フッ素の働きを観察することがねらいです。

2 準備するもの

- 卵
- 酢
- 歯ブラシ
- 油性マジックペン
- ペーパータオル
- フッ素入り歯磨剤・ジェル
- ビーカー（卵を横にして入れられるくらいの大きさ。なければ透明な入れ物で代用します）
- ◎4-5：ワークシート

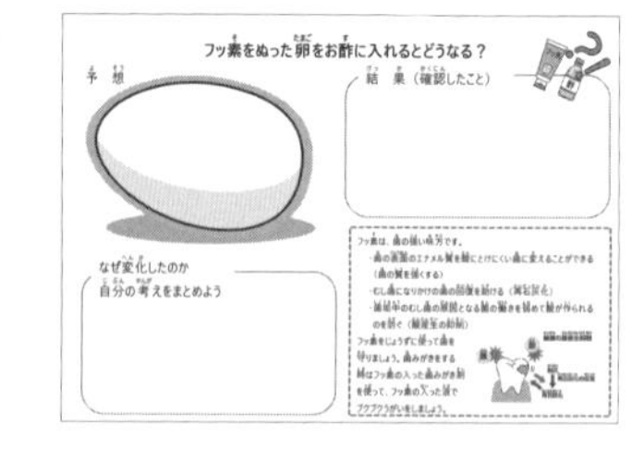

3 体験の進め方（方法）

❶油性マジックペンで卵の真ん中に線を引きます。
この時、真ん中で分けた部分に○または×のマークを入れます。

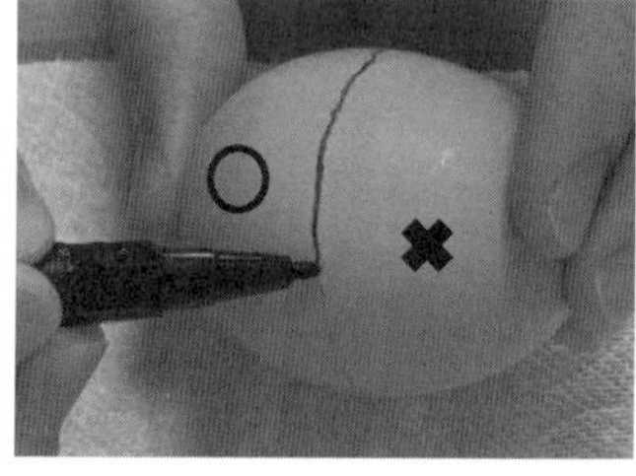

❷歯磨剤にフッ素が入っているか確認して、歯ブラシに歯磨剤をつけ、卵の片方（○の部分）の面全周に歯磨剤をしっかり塗っていきます。

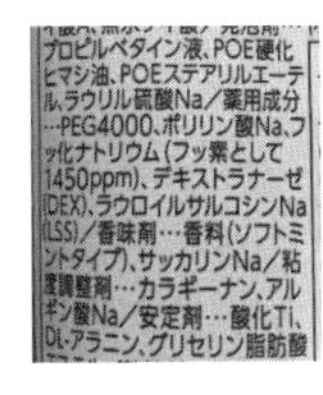

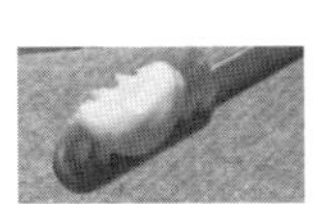

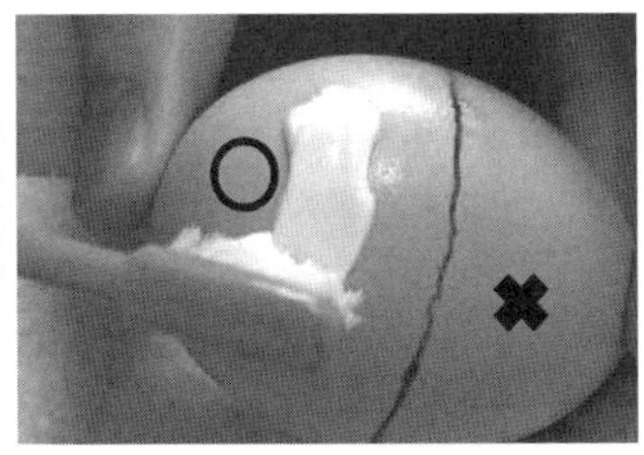

❸歯磨剤を塗り終わったら、ペーパータオルを水で濡らして、歯磨剤を塗った面を包み、そのまま約半日程度置いておきます。

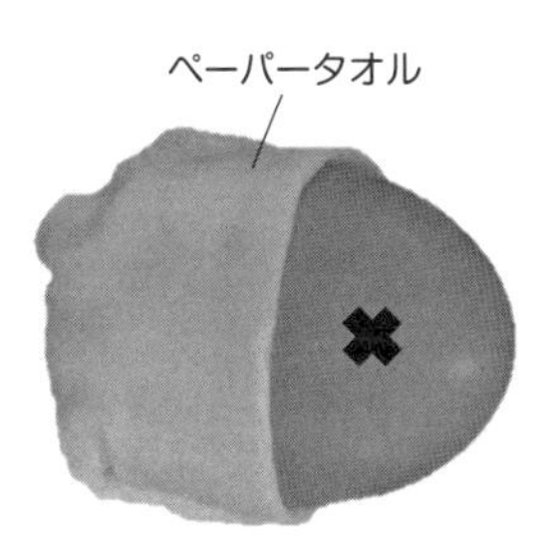

❹約半日経ったら、包んだペーパータオルで卵についている歯磨剤を拭き取ります（軽く洗い流しても良い）。

❺卵をビーカーに入れ、次に酢を卵がかぶるくらい入れます。

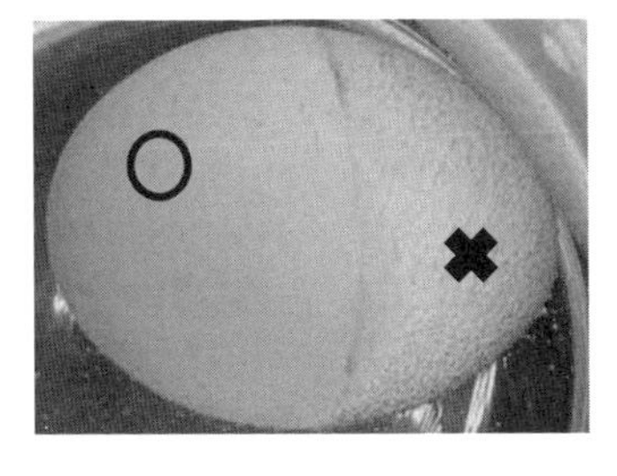

❻卵の表面を観察します。フッ素を塗っていない方（×）からは泡（二酸化炭素）が出てきます。これは卵の殻が酸によって溶けて出てきたものです。一方、フッ素を塗った方（○）からは泡は出てきません。

❼実験の結果をワークシートに記入させます。フッ素が卵の殻を強くし、酸から守っていることを説明します。指導後は、毎日の歯みがきにフッ素の入った歯磨剤を使うこと、毎日または週に１回のフッ化物洗口液の使用、少なくとも半年に１回は歯科医院で歯にフッ素を塗るような習慣づけを促します。

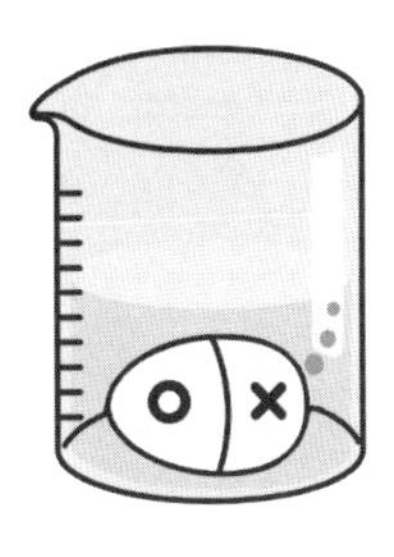

⑥クイズ　歯のはえ変わり ～動物バージョン～

1 ねらい

歯のはえ変わりをキーワードにして、動物の歯について知ることができます。食べる物や食べ方によって歯の形が違うだけでなく、はえ変わり方までも違うことを、クイズ形式で、楽しく学ぶことができます。そして、どの動物も食べることや生きるために、歯が大きな役割を持っていることを理解することがねらいです。

2 準備するもの

・4-6：クイズカード（両面印刷します）
「ヒトの口」「キリン」「ゾウ」

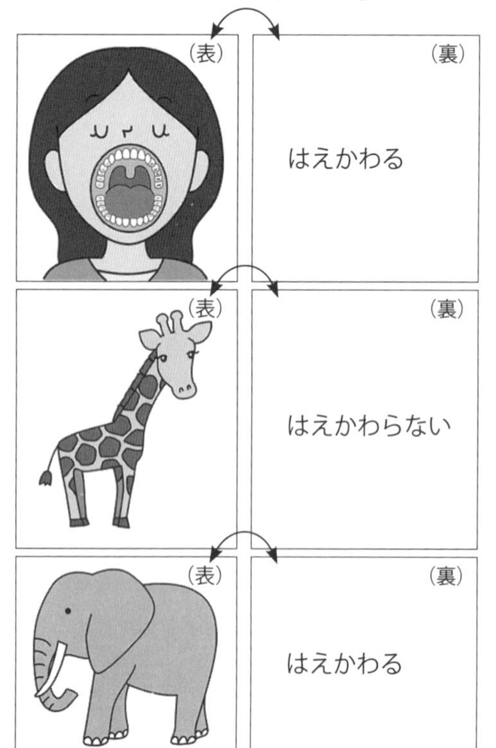

・4-6：ゾウの臼歯のはえ方

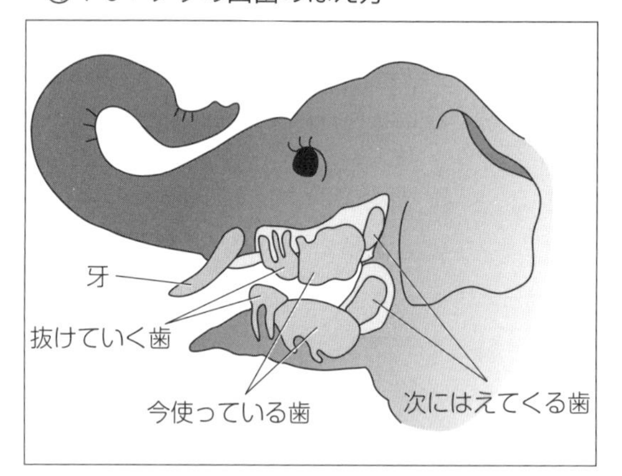

3 体験の進め方（方法）

❶クイズカードを準備します。

❷子どもたちに第１問のクイズをして、ヒトの歯の特徴を説明します。

第１問 ヒトの歯ははえ変わるでしょうか？　答え はえ変わる（カードを裏返す）

［解説］人間の歯は、乳歯（子どもの歯）は20本です。永久歯（大人の歯）は、親知らずを除くと28本です。６歳ごろから永久歯がはえはじめ、15歳ごろまでに乳歯は永久歯にはえ変わります。

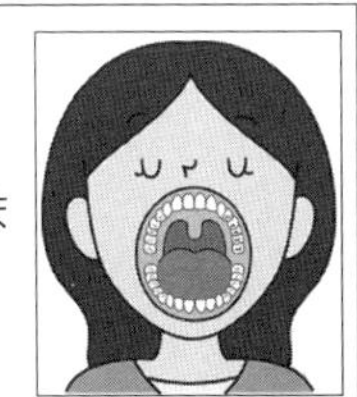

❸子どもたちに第２問のクイズをして、キリンの歯の特徴を説明します。

第２問 キリンの歯ははえ変わるでしょうか？　答え はえ変わらない（カードを裏返す）

［解説］キリンの歯は、使い続けるうちにぼろぼろになって、物が食べられなくなると寿命を迎えます。野生のキリンの寿命は約20 年であるのに対し、比較的やわらかい物を食べている動物園のキリンの寿命は25～30 年ですから、歯が寿命を決めているといえます。歯がはえ変わる動物は長生きです。人間も乳歯から永久歯にはえ変わるおかげで長生きすることができるのです。

❹子どもたちに第３問のクイズをして、ゾウの歯の特徴を説明します。

第３問 ゾウの歯ははえ変わるでしょうか？　答え はえ変わる（カードを裏返す）

［解説］ゾウの歯は、上下左右に１本ずつ、たったの4本しかありません。しかも、すべて臼歯です。ちょうど大人の靴の底のような形をしていて、１本の歯は重さが3～5 kg もあります。歯の表面は、洗濯板のようにギザギザと溝が刻まれていて、木の葉などのかたい食べ物をすりつぶすのに適しています。ちなみに、ゾウの牙は門歯と呼ばれる歯の一種で、アフリカゾウではオス・メスともにあり、生きている間はずっと伸び続けるそうです。歯の数も形も、私たち人間とは大きく異なりますね。ゾウの歯は、６回はえ変わります。

ゾウの臼歯のはえ方はユニークです。ヒトを含む一般的な哺乳類では、乳歯が抜けて、その下から永久歯がはえますが（「垂直交換」）、ゾウの歯は後ろから前へ臼歯がはえてきます（「水平交換」）。前の臼歯を使ううちに磨耗してなくなり、後ろからどんどん新たな臼歯が出てきます（ゾウの臼歯のはえ方のイラストを見せる）。

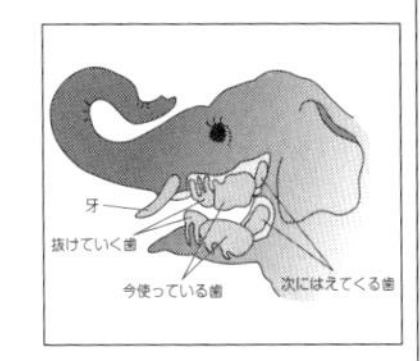

❺学習のまとめをします。

今日は、歯のはえ変わりと動物の歯について学習しました。食べる物や食べ方によって歯の形が違うだけでなく、はえ変わり方までも違います。どの動物も、食べることについて、歯は大きな役割を持っていることが分かりましたね。みなさんも、はえ変わってくる歯だけでなく、今ある歯も大切にしてください。

⑦りっぷるくん測定
（口唇閉鎖力測定）

1 ねらい

平成30年４月から日本の歯科医療保険の中に「口腔機能発達不全症」という病名が加わりました。口の機能は「食べる」「話す」「呼吸する」などがありますが、その多くは口唇や舌、頬の筋肉が協調して機能します。ところが、日本小児歯科学会の全国調査によると、３～11歳までの30.5%の小児に「日中よく口を開けている」という回答が得られました。

口が開いていると困ることとして、以下のようなことがあげられます。

・口の機能がうまく働かない
・食べ方がクチャクチャする
・口が乾いて、唇もガサガサする
・だ液の機能が低下し、むし歯になりやすい
・風邪をひきやすい

口呼吸をしているかどうかは、気にして見ていないと分かりづらいのです。そこで、口唇閉鎖力を調べ、判断しましょう。

2 準備するもの

・口唇閉鎖力測定器
・◎4-7：ワークシート

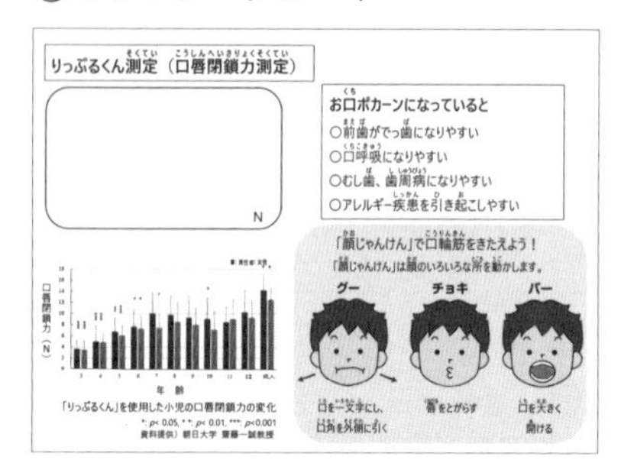
りっぷるくん測定（口唇閉鎖力測定）

N

お口ポカーンになっていると
○前歯がでっ歯になりやすい
○口呼吸になりやすい
○むし歯、歯周病になりやすい
○アレルギー疾患を引き起こしやすい

口唇閉鎖力（N）
年齢
「りっぷるくん」を使用した小児の口唇閉鎖力の変化
*: $p<0.05$, **: $p<0.01$, ***: $p<0.001$
資料提供）朝日大学 齋藤一誠教授

「顔じゃんけん」で口輪筋をきたえよう！
「顔じゃんけん」は顔のいろいろな所を動かします。
グー
口を一文字にし、口角を外側に引く
チョキ
唇をとがらす
パー
口を大きく開ける

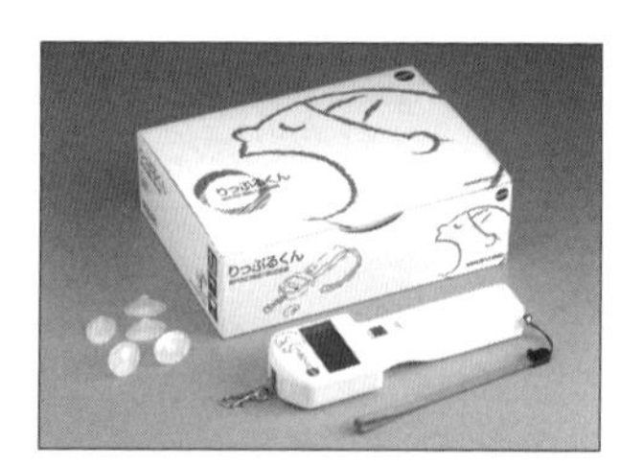

口唇閉鎖力測定器（りっぷるくん）
（写真提供：株式会社松風）

3 体験の進め方（方法）

❶口唇閉鎖力測定器を使って、口唇閉鎖力を3回測定します。

❷測定した数値のうち、真ん中の数値をワークシートに記入します。

❸ワークシートには、各年齢の口唇閉鎖力の標準値を示しています。標準値と比べて数値が低い場合では、口の筋肉が弱いことが多く、口呼吸をしていることが多いことを説明します。

❹口呼吸が、歯列不正、むし歯や歯周病、アレルギー疾患など、様々な悪影響を及ぼすことを説明し、普段から顔じゃんけんをするなどして、口輪筋を鍛えるよう促します。

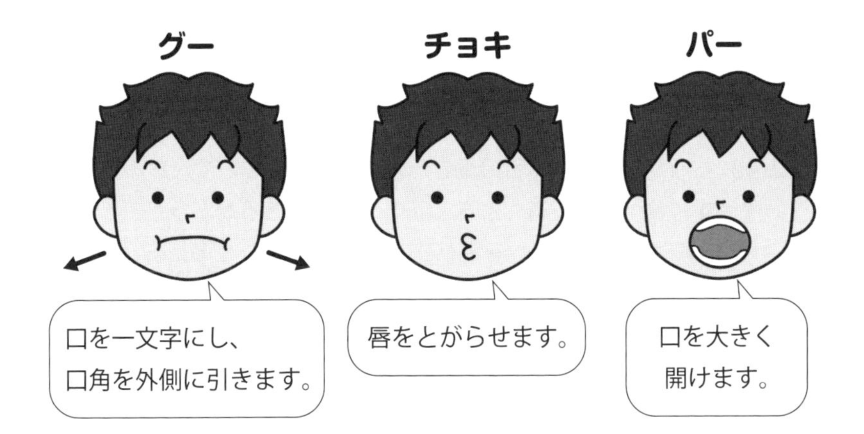

4章

⑧パタカ測定
（口唇・舌・軟口蓋の機能測定）

1 ねらい

食べるための機能が正常かどうかは、パ、タ、カの発声で簡単にチェックすることができます。

・「パ」…食べ物を口からこぼさない唇の働き

・「タ」…上顎にしっかりくっつく舌の働き（食べ物を押しつぶす・飲み込む）

・「カ」…誤嚥せずに食べ物を食道へと送る筋肉の働きがあるかどうか

連続して5秒間に何回発声できるかを調べます（1秒間あたりの目安は表1の通りです）。これらは「滑舌」が低下していないかを調べるのにも有効です。

表1　1秒間あたりの発声の目安　（回／秒）

年齢	性別	パ	タ	カ
19～34歳	男性	5.8～8.2	6.0～8.8	5.4～8.0
	女性	6.3～8.3	6.5～8.7	5.9～8.1
35～59歳	男性	5.5～7.9	5.4～8.2	5.0～7.6
	女性	5.4～8.0	5.5～8.3	5.1～7.7
60歳以上	男性	4.4～7.2	4.2～7.0	4.0～6.6
	女性	4.2～7.2	4.4～7.2	4.1～6.7

出典）西尾正輝：標準　ディサースリア検査，インテルナ出版，東京，2004.

2 準備するもの

・口腔機能測定器
（パタカラ測定できる iPhone アプリもあります）

・◎4-8：ワークシート

パタカラ測定（口唇・舌・軟口蓋の機能測定）

※今回、「ラ」は測定しません。

パ ＿＿回　タ ＿＿回　カ ＿＿回

パ　効果…唇を開け閉めする力を強くします
弱くなると➡飲んだり吸ったりするのが難しくなります
発音のコツ➡大きく破裂するように！

タ　効果…舌の先の力を強くします
弱くなると➡食べ物がつぶせなくなり、飲み込みにくくなります
発音のコツ➡強く「タッタッタッ!!」

カ　効果…舌の奥の力を強くします
弱くなると➡飲み込むことが難しくなります
発音のコツ➡舌の根元を喉に押しつけるように！

ラ　効果…舌を巻く力を強くします
弱くなると➡食べ物を喉の奥に送りにくくなります
発音のコツ➡舌をしっかり巻いて！

〈パタカラ体操〉
パパパパ・タタタタ・
カカカカ・ララララと
毎日食事の前に
10回くり返して発音しよう！

3 体験の進め方（方法）

❶まずはじめに、口腔機能測定器のマイクに向かって、5秒間「パ」を繰り返しいい続け、出た値をワークシートに記録します。これは口の周りや舌の動きを測定します。

❷同様に5秒間「タ」をいい続け、出た値をワークシートに記録します。これは舌の前の方の動きを測定します。

❸最後に、同様に5秒間「カ」をいい続け、出た値をワークシートに記録します。これは舌の奥の部分の動きを測定します。

❹パタカの発音にはどんな効果があるのかを説明し、ふだんから滑舌がよくなる「パタカ体操」を試してみるように促します。

測定器に向かって
「パパパ……」
「タタタ……」
「カカカ……」
とそれぞれ5秒ずついうことで、
測定できます。

第5章

紙人形劇でおはなし

・CD－ROM に紙人形用のイラストを収録しています。紙人形劇を行う場所の広さに合わせて印刷してお使いください。

今回ご紹介するものは、第28回日本学校歯科保健・教育研究会のワークショップにおいて作成した、歯と口の健康に関する幼児向けのペープサートを一部修正したものです。

55分のワークショップにおいて、シナリオづくりからペープサート作成（40分）、そして舞台発表の練習を行って（10分）、その後、約３分程度のペープサートによるお話を行いました。

ワークショップの様子

シナリオ作成

ペープサートでお話

舞台発表

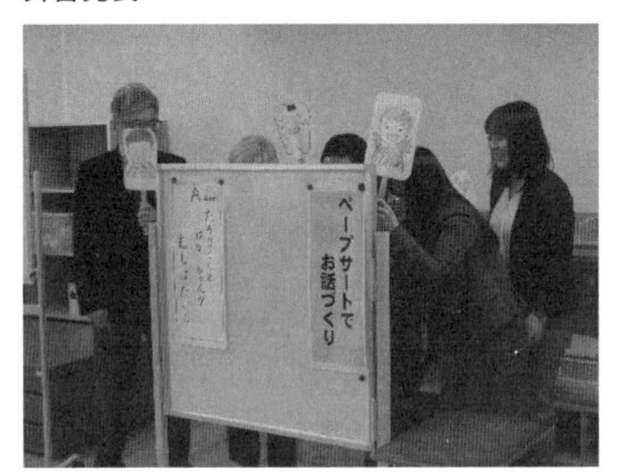

◆ワークショップ（55分）
①挨拶・自己紹介（５分）
②シナリオづくりとペープサート作成（40分）
③舞台発表の練習（10分）
◆３分程度のペープサートによるお話

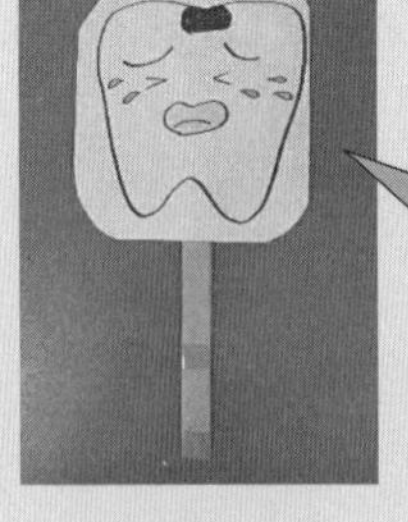

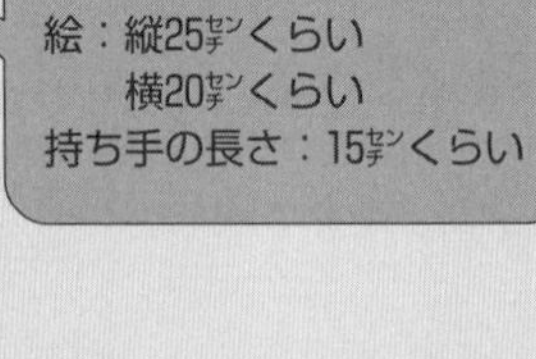

ペープサート（例）
（ワークショップで使用）

表と裏で絵を変身させます。

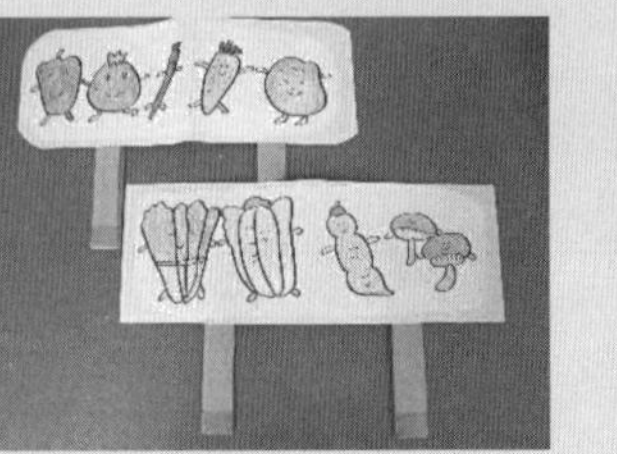

横長にして行進するのも楽しいです。

表と裏で２通りの絵を楽しむことができます。

①ゆっくりかんでたべると おいしいよ

対象：５才（年長　園児）

1 準備するもの

5-1：紙人形の型紙　　5-1：シナリオ

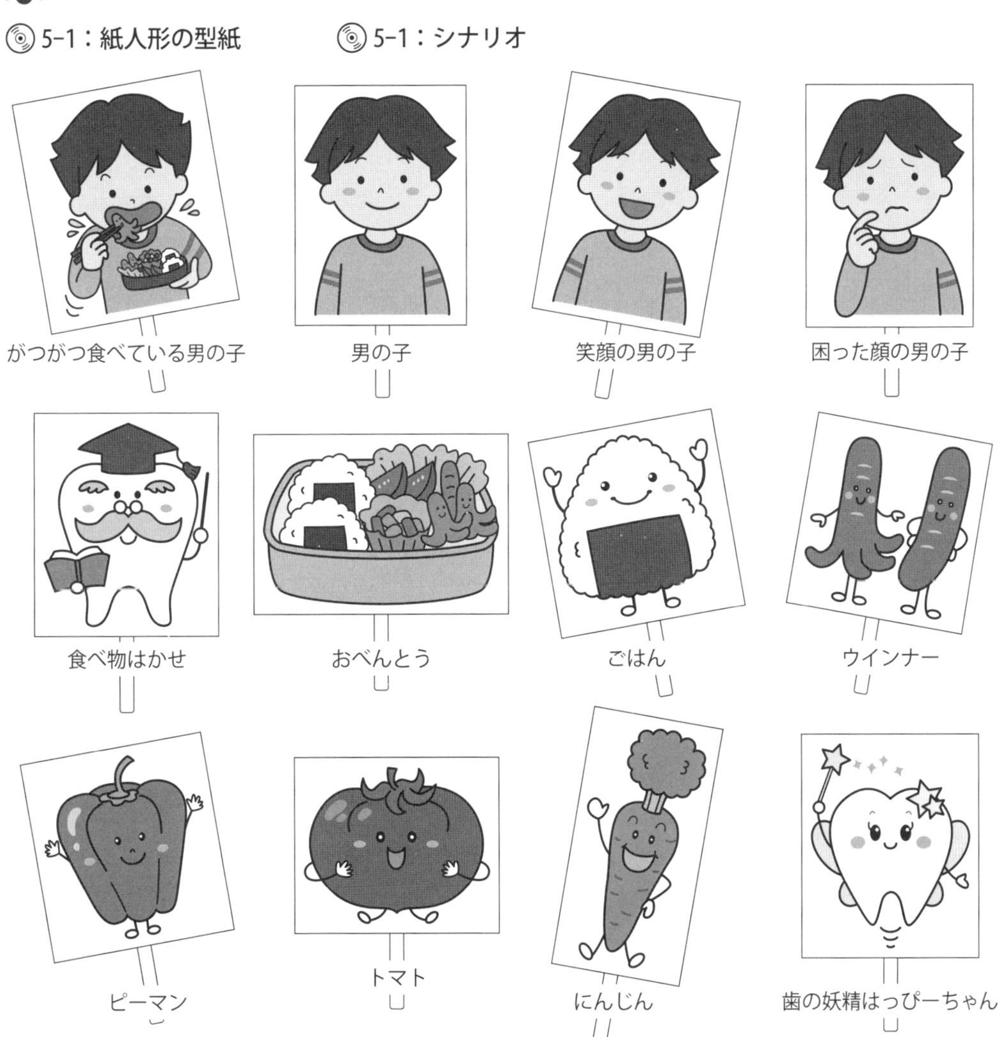

2 指導の実際

登場する紙人形	おはなし
	「いただきまーす。よーし、今日も早く食べておかわりするぞー。がつがつ、がつがつ。」
	「ぴぴぴぴぴーっ。私は、歯の妖精はっぴーちゃん。そんなに早く食べたら、食べ物がかわいそう。今、食べた物はどんな味だったの？」
	「う～ん。分かんない……」
	「ぴぴぴぴぴーっ。どうして分からなかったんだろうね。そうだ！　食べ物はかせに聞いてみよう。教えて、はかせ！」
	「どうしたら味が分かるようになるのか、一緒に考えよう。」
	「まずは、ごはんをゆっくりかんでみてごらん。どうかな？」
	「そうだなあ～。う～ん、ちょっと甘いかなあ。」

「じゃあ、このおべんとうに入っているウインナーはどんな味か分かるかな？」

「かまないとどんな味か分からないよ。」

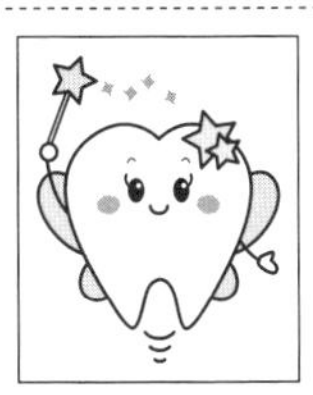

「ぴぴぴぴー。そうだよね。よくかんで食べてみないと味が分からないよね。どんな味か教えて。」

「すごーい。かんだら、パリッと音がしたよ。皮はかたいけど、中はやわらかくて肉汁がでてきたよ。かめばかむほどおいしくなってきたよ。」

～おべんとうからピーマンが飛び出す～

「ぼく、ピーマン。よくかんだらどんな味？」

「うわ～、ぼくピーマンが苦手なんだけど、食べてみよう。最初はちょっと苦いけど、かんでいるうちにやわらかくなって、もう苦くなくなってきたよ。」

～おべんとうからトマトが飛び出す～

「わたしは、トマト。どんな味？」

「きれいな赤い色だな。トマトをかんだら、むにゅっとしてちょっとすっぱい味がしたよ。でも、よくかんでいるうちに甘くておいしい味が口の中に広がったよ。」

「いい調子！　次は何かな？」

～おべんとうからにんじんが飛び出す～

「ぼくは、にんじんです。よくかんで食べてみて。」

「このにんじんは、大きいなあ。でも食べてみよう。一口では食べきれないから、まず、前歯でかんだ時ににんじんの香りがしたよ。それからかんでいくうちに、にんじんの味がして、よくかんでいるうちにだんだんと甘い味がしてきたよ。」

「よくかんで食べると、味も香りも音も楽しめるね。今日から、みんなも食べ物をよくかんで、味を楽しもうね。」

「ゆっくりよくかんで食べるとおいしいね。はかせ、ありがとう！」

②たろうくんとはぶらっしーの ぼうけん

対象：５才（年長　園児）

1 準備するもの

2 指導の実際

登場する紙人形	おはなし
	たろうくんは、外で遊ぶのが大好きな、元気な5才の男の子。ある日の夜のことです。
	「今日もお友だちとすべり台にかけっこ、にんじゃごっこも楽しかったなあ。」
	たろうくんは、甘い物も大好きな男の子です。
	「そうだ！　ぼくの大好きなチョコのお菓子が戸棚にあったな。おかあさんに見つからないようにこっそり食べちゃおうっと。」
	「このチョコ最高！　甘くて口の中で溶けておいしいな。」
	「あ～。でもなんだか眠くなっちゃった。」
	あれあれ。たろうくんは、歯みがきもしないで眠ってしまいました。どうやら夢を見ているようです。

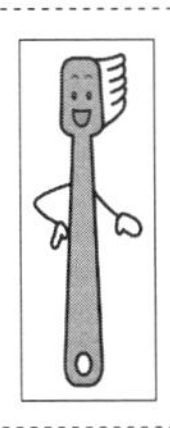

「たろうくん！　ぼくは、はぶらっしー。これから、ぼくと一緒にたろうくんの口の中の冒険に行こう！」

「わーい。口の中の冒険にレッツゴー！」

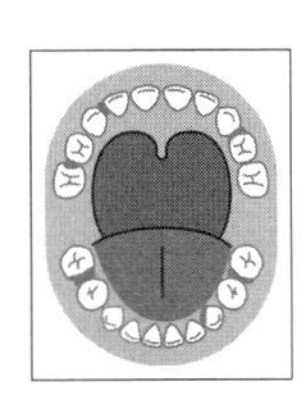

「あれぇ。おかしいな。たろうくんの口の中にチョコのお菓子が残っているよ。さては、寝る前にお菓子を食べたな。」

「ほんとだ。歯と歯の間に、イチゴチョコがはさまっている。」

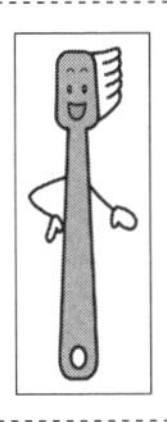

「た、たろうくん。大変だ。口の中でむし歯のミュータンス菌が、大好物の甘いお菓子をエサにして、仲間を増やしているよ。」

～むしばきんが倍増している～

うじゃうじゃ

「うわーあ。どうしよう。どんどん増えている。」

～「酸」が歯をねらっている～

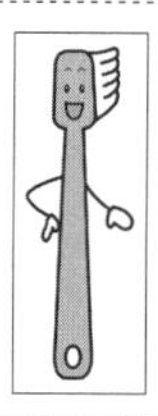

「大変だ。こっちでは、ミュータンス菌が、甘いお菓子をエサにして、「酸」を出しているよ。この酸は、たろうくんの歯を溶かそうとねらっているよ。」

～むしばきんの矢が、つんつんと歯をつつく～

「ぎゃー。どうしよう。ぼくの歯はむし歯になっちゃうの？どうすればいいの？　助けて～はぶらっしー！」

～はぶらっしーがスーパーはぶらっしーに変身！～

「へん～しん。とうっ！　たろうくん、スーパーはぶらっしーが来たから安心したまえ。このスーパーはぶらっしーを使って、今日からしっかり歯をみがくのだ。ごはんを食べた後、おやつを食べた後、歯ブラシで歯をみがこう。そして、仕上げみがきはおうちの人にしてもらうのだ！」

「ありがとう。スーパーはぶらっしー。むにゃむにゃ……」

こうしてたろうくんとはぶらっしーは、口の中の冒険から帰ったのです。次の日の朝・・・

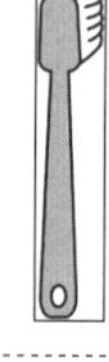

「あー、よく寝た。あれ、こんなところに歯ブラシがあるよ。きっとスーパーはぶらっしーからのプレゼントだ。ありがとう、スーパーはぶらっしー。今日からこの歯ブラシでしっかり歯をみがくよ。約束するよ！」

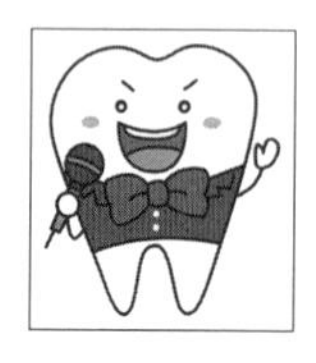

たろうくん、良かったね。みんなのスーパーはぶらっしーもおうちにあるよね。これからもしっかり歯みがきをして、歯を大切にしてね。

おわりに

新型コロナの感染拡大の影響は世界中の人々の経済活動はもとより私たちの日常生活にも大きな制約をもたらしています。通常の学校生活が送れない状況は子どもたちの心身の成長や健康にも大きな影響を及ぼしていることを大変危惧しています。

この状況下に本教育研究会では、いち早く学校現場に向けて『新しい生活様式における学校歯科保健活動』を提案しました。具体的な内容は、歯科講話のテーマとして「歯みがきで新型コロナに勝つ！」「体の中のトンネルと免疫力について！」、保健教育指導案のテーマとして「歯・口の健康から“３勝”を目指そう！」「かんで！　笑顔で！　みんなで元気！」などを例示しました（参考・健学社刊「心とからだの健康」2020.8月号）。

子どもたちに新型コロナに負けないように、手洗い・マスク・「３密」などに気をつけながら、歯・口を清潔に保つことは感染予防になることやよくかんでしっかり食べることや笑顔で過ごすことは免疫力のアップにつながることなどのメッセージを送っています。健康は子どもたちがみんなでつくるというポジティブな行動を周りの大人たちが支援していくことが今こそ必要だと考えたからです。

さて、日本学校歯科保健・教育研究会は平成18年（2006年）の第１回から１年に２回開催を続け、第20回を記念した平成28年（2016年）に東山書房より『パワーポイントで進める―楽しく学び「生きる力」をはぐくむ歯・口の保健教育』を出版し、広く学校現場で歯科保健教育に活用いただいています。本書は第30回を迎える記念事業として、その続編パートⅡを発刊することにしました。

本書の特色は本研究会の運営に参加している学校の教職員、学校歯科医、歯科保健研究者など多職種の先生方がその専門性を活かした内容で共同執筆しています。内容は歯科講話、保健教育の指導案、体験学習プラン、歯・口に関連するコラムなどです。ビジュアルかつオープンユースなものにしています。ビジュアルな内容とは子どもたちが楽しみながら学ぶことができるように視覚教材や体験教材を多く掲載していることです。オープンユースとは指導にあたる先生方が掲載している指導案や講話例をそのまま使用したり、必要な箇所だけ取り出し加工したりしていただいて、すぐに活用できるようにしていることです。各学校で子どもたちが楽しく学び「生きる力」をはぐくむ歯科保健教育に活用いただければと願っています。

おわりに、これからの学校歯科保健教育のより一層の発展のために、縦軸と横軸に据えたいことを提案します。

縦軸に据えたいことは歯・口の健全な発育・発達を促すために、歯・口の機能（役割、働き、能力など）を高めていくことに着目した保健教育を進めていくということです。学齢期を通して歯・口の機能を活かし、高めていくことは全身の健康づくり、そして生涯の健康づくりに直結しています。今を生きる子どもたちの明るい未来にもつながることと考えるからです。

横軸に据えたいことは、子どもたちが「自分から」、そして「みんなで」健康づくりを実践しようとする意欲を周りの大人が応援していくことが重要だということです。そのためのキーワードは「連携」です。学校と家庭、地域が連携することにより、子どもたちの健康づくりを支援していくことが必要です。その要となる学校での養護教諭と学校歯科医、さらには歯科保健研究者、行政や地域保健関係者など多職種の方々との効果的な連携の仕方が提案できればと考えています。

本書が出版される頃には新型コロナの感染が終息し、平穏な日常や学校生活が戻ってくることを願っています。

副会長　木暮義弘

日本学校歯科保健・教育研究会の歩み

	期日	大会長	会場	テーマ・内容等
第１回	平成 18, 8, 20	日本大学歯学部 教授 赤坂守人	日本大学	発会総会 講演、ディスカッション
第２回	19, 3, 11	中央区立泰明小学校 校長 木暮義弘	中央区立泰明小学校	「学校歯科保健の発展のためのアプローチ」 講演、模擬授業、パネルディスカッション
第３回	19, 6, 17	品川区学校歯科医会 会長 丸山進一郎	品川きゅりあん	「思春期（高校生）の歯科保健」 講演、実践事例報告、シンポジウム、ディスカッション
第４回	20, 1, 26	国立淡路青少年の家 所長 戸田芳雄	淡路青少年の家	「学校歯科保健と地域歯科医療との連携」 リレー講演、シンポジウム、ディスカッション
第５回	20, 7, 6	中野区学校歯科医会 会長 田中英一	中野区立第五中学校	「クローズアップ歯肉―中学校での歯科保健活動の充実にむけて―」 講演、模擬授業、シンポジウム、ディスカッション
第６回	21, 3, 20	昭和大学歯学部 教授 向井美惠	昭和大学	「学校での食育をどう展開するか」 リレー講演、ワークショップ、ディスカッション
第７回	21, 9, 6	明海大学歯学部 教授 安井利一	明海大学	「学校歯科保健のストラテジー」 講演、模擬授業、シンポジウム、ディスカッション
第８回	22, 2, 6	江東区立南砂小学校 校長 牛島三恵子	江東区立南砂小学校	「マウス・トゥ・ザ・フューチャー 健康の未来はお口の健康から―つなげよう学校・家庭・地域社会―」 講演、ランチ＆グループディスカッション、体験参加型模擬授業、シンポジウム
第９回	22, 9, 11	日本歯科大学 准教授 福田雅臣	日本歯科大学	「食と咀しゃくの健康教育」 講演、ラウンドディスカッション、食育推進に関する近況報告（国や地方自治体の取組の動向）
第10回	23, 2, 12	品川区立伊藤学園 校長 青木哲男	品川区立伊藤学園	「学齢期をつなぐ歯科保健―中小連携の夢と可能性―」 リレー講演、ラウンドテーブルディスカッション
第11回	23, 8, 28	明海大学歯学部 教授 安井利一	中央区立泰明小学校	「生きる力をはぐくむ歯・口の健康づくりの展望」 講演、シンポジウム、ディスカッション
第12回	24, 2, 5	昭和大学歯学部 教授 向井美惠	中央区立泰明小学校	「食と咀しゃくの健康教育〈パート２〉実践編」 模擬授業、ディスカッション
第13回	24, 9, 22	東京医科歯科大学 大学院講師 小野芳明	東京医科歯科大学	「学校歯科保健教育における集団と個」 講演、基調講演、事例発表、フロアーディスカッション

第14回	25, 2, 24	足立区立第八中学校 主任養護教諭　中村智子	中央区立泰明小学校	「広がる・深まる歯科保健」 課題提起、模擬保健講話、模擬授業、フロアーディスカッション
第15回	25, 8, 25	鶴見大学歯学部 教授　朝田芳信	鶴見大学会館	「学校から拡げよう！子どものヘルスプロモーション」 講演、模擬学校保健委員会、フロアーディスカッション
第16回	26, 2, 23	東京都立志村学園 校　長　堀内省剛 副校長　花田妙子	東京都立志村学園	「生きる喜び・生きる力をはぐくむ学校歯科保健」 講演、交流集会（ランチミーティング）、提言、フロアーディスカッション
第17回	26, 9, 23	日本大学歯学部 教授　尾崎哲則	日本大学歯学部	「地域でバックアップする児童生徒の健康づくり～歯・口の健康づくりを通して～」 講演、模擬地域学校保健委員会、フロアーディスカッション
第18回	27, 2, 8	中央区立泰明小学校 学校歯科医　石川文一	中央区立泰明小学校	「歯・口から拡がる健康づくり―学校歯科医とのコラボレーション―」 講演、模擬授業、対談、フロアーディスカッション
第19回	27, 9, 6	昭和大学 名誉教授　向井美惠	東京医科歯科大学歯学部	「歯・口からひろがる食の教育」 講演・体験模擬授業（味覚教育）、スモールグループディスカッション
第20回	28, 2, 27	足立区立第十三中学校 主幹養護教諭　平澤規子	中央区立久松小学校	「笑顔と活力を生み出す歯・口の健康づくり―思春期の学校歯科保健―」 20回記念リレー講演、実践報告、模擬授業、フロアーディスカッション
第21回	28, 8, 28	日本学校歯科医会 専務理事　藤居正博	滋賀県ピアザ淡海	子どもの豊かな学びを生み出す歯科保健教育の実際―これまで、そしてこれから― 講演：視覚媒体を使った歯・口の保健教育 グループディスカッション
第22回	29, 2, 26	品川区立第四日野小学校 養護教諭　足助麻理	品川区立日野学園	「子どもの豊かな学びを生み出す歯科保健教育～わくわく・やってみたくなる　歯と口の健康づくり～」 講演、模擬授業、スタンプラリー、フロアーディスカッション
第23回	29, 8, 20	横浜市立中尾小学校 学校歯科医　江口康久万	横浜市立中尾小学校	「子ども・学校・家庭が変わる」 講演：歯・口の健康づくりを語る 大人のブレスト会議、フロアーディスカッション
第24回	30, 2, 24	中央区立久松小学校 養護教諭　上野弘子	中央区立久松小学校	「豊かな心と健やかな体の育成」 ～歯と口の健康フェスタ～口の働きを科学する 講演：歯と口の健康フェスタ（親子で学ぶ）
第25回	30, 8, 26	日本学校歯科医会常務理事 高知県歯科医師会専務理事 野村　圭介	高知市ちより街テラス	「笑顔でいきいき　～歯・口からひろがる心とからだ～」 リレー講演会、座談会、ランチミーティング、模擬授業、フロアーディスカッション

第26回	31, 2, 10	元東京女子体育大学教授 元文部科学省体育官 戸田　芳雄	葛飾区立 柴又小学 校	「子どもの歯・口の外傷防止について考える」 講演、体験実習、シンポジウム
第27回	令和 1, 8, 25	千葉県歯科医師会 学校歯科医 赤井淳二	日本大学 松戸歯学 部	「笑顔の交わせる健康づくり　～学校保健委員会の活性化を目指して～」 講演、小劇場、実践事例紹介、フロアーディスカッション
第28回	2, 2, 2	昭和大学歯学部 客員教授　井上美津子	中央区立 久松幼稚 園	「遊びを通して歯・口の大切さを学ぼう～幼児期からのアプローチ～」 講演、事例紹介、ワークショップ、フロアーディスカッション

後援団体

公益社団法人 日本歯科医師会、一般社団法人 日本学校歯科医会、一般社団法人 東京都学校歯科医会、一般社団法人 千葉県歯科医師会、公益社団法人 東京歯科衛生士会　など

参考文献

『人体のしくみ』板倉龍、ニュートンプレス、2012
『驚異の小宇宙・人体　3　消化吸収の妙』日本放送出版協会、1990
『オーラルバイオフィルム』恵比須繁之、ライオン歯科材株式会社、2000
『インフルエンザの制御法』小林治、メジカルビュー、2013
『「そんな研究はやめてください…」口腔細菌はインフルエンザを重症化する』落合邦康、日本歯科医師会雑誌 Vol. 67 No. 11、日本歯科医師会、2015
『最新 ES 細胞　IPS 細胞』木村直之、ニュートン別冊、ニュートンプレス、2020
『口腔組織・発生学』James　K. Avery 編、寺木良巳・相山誉夫訳、医歯薬出版株式会社、1997
『細胞と人体』木村直之、ニュートン別冊、ニュートンプレス、2020
『来たるべきバイオ再生医療に向けて～「歯髄細胞バンク」という新たな歯科医療のカタチ』 中原貴、日本歯科医師会雑誌68（10)、日本歯科医師会、2016
『歯の細胞バンクがつなぐ歯科医療と再生医療』中原貴、補綴臨床第52巻第6号、医歯薬出版株式会社、2019
『パワーポイントで進める　楽しく学び「生きる力」をはぐくむ歯・口の保健教育』日本学校歯科保健・教育研究会、東山書房、2016
『「生きる力」をはぐくむ学校での歯・口の健康づくり』文部科学省、平成23年
日本学校歯科医会　https://www.nichigakushi.or.jp

本書付録の CD-ROM について

付録の CD-ROM には、本書に掲載した教材が収録されています（「準備するもの」にロゴマーク◎を付記しています）。

【動作環境】

付録の CD-ROM は、Windows10を搭載したパソコンで、Microsoft office 2019を使い、動作確認をしています。PDF ファイルの利用には Adobe Reader / Adobe Acrobat が、パワーポイント教材の利用には Microsoft PowerPoint がご使用のパソコンにインストールされていることが必要です。

※ Windows の場合では、閲覧のみ可能な PowerPoint Viewer を、マイクロソフト社のウェブサイトより無償でダウンロードできます。

※ Adobe Reader は、アドビシステムズ社のウエブサイトから無償でダウンロードできます。

【ご使用にあたって】

CD-ROM に収録されたデータは、非営利の場合のみ使用できます。ただし、下記の禁止事項に該当する行為は禁じます。なお、CD-ROM に収録されたデータの著作権、また使用を許諾する権利は、本書著者・株式会社東山書房が有するものとします。

【禁止事項】

- 本製品中に含まれているデータを本製品から分離または複製して、独立の取引対象として販売、賃貸、無償配布、貸与などをしたり、インターネットのホームページなどの公衆送信を利用して頒布（販売、賃貸、無料配布、貸与など）することは営利・非営利を問わず禁止いたします。また、本製品販売の妨げになるような使用、公序良俗に反する目的での使用や名誉棄損、そのほかの法律に反する使用はできません。
- 以上のいずれかに違反された場合、弊社はいつでも使用を差し止めることができるものとします。

【免責】

- 弊社は、本製品に関して如何なる保証も行いません。本製品の製造上の物理的な欠陥については、良品との交換以外の要求には応じられません。
- 本製品を使用した場合に発生した如何なる障害および事故等について、弊社は一切責任を負わないものとさせていただきます。
- CD-ROM が入った袋を開封した場合には、上記内容等を承諾したものと判断させていただきます。

執筆分担一覧（50音順）

赤井淳二（学校歯科医・ららぽーと歯科）【第２章８】
足助麻理（品川区立台場小学校養護教諭）【第３章２、第４章８】
有川量崇（日本大学松戸歯学部教授）【第４章５】
五十里一秋（東京都多摩府中保健所歯科保健担当課長）【コラム③】
石井直美（歯科医師・元東京都保健所・東京都教育庁歯科保健担当職）【コラム⑧】
石川文一（学校歯科医・石川歯科医院）【第２章１～４】
井上美津子（昭和大学歯学部客員教授）【第２章10】
上野弘子（元中央区立久松小学校養護教諭）【第３章３（共同執筆）、第４章２、第５章】
江口康久万（学校歯科医・恒久会江口歯科医院）【第２章６】
大沢卓美（江戸川区立平井西小学校教諭）【第３章３（共同執筆）】
大塚明子（中央区立銀座中学校栄養士）【第４章３】
尾崎哲則（日本大学歯学部教授）【第３章５（共同執筆）、第４章６】
小野芳明（東京医科歯科大学大学院非常勤講師・ダリ成長発育研究所所長）【コラム④】
片桐淑子（中央区教育委員会教育センター講師）【コラム②】
木暮義弘（元中央区立泰明小学校校長）【第１章２、おわりに】
島田淳（日本顎関節学会理事・グリーンデンタルクリニック）【コラム⑦】
田中英一（田中歯科クリニック）【第２章９】
戸田芳雄（学校安全研究所代表・明海大学客員教授）【コラム⑥】
平澤規子（足立区立第十中学校養護教諭）【第３章４】
福田雅臣（日本歯科大学教授）【第３章１】
藤居正博（学校歯科医・藤居歯科医院）【第２章７、第４章４】
細谷光子（埼玉県三郷市立瑞穂中学校養護教諭）【第３章５（共同執筆）】
丸山進一郎（学校歯科医・アリスバンビーニ小児歯科）【第２章５、第４章７、コラム①】
向井美恵（ムカイ口腔機能研究所・昭和大学名誉教授）【コラム⑤】
安井利一（明海大学学長・歯学部教授）【第１章１】
渡邊真亀子（墨田区立立花吾嬬の森小学校養護教諭）【第４章１】

写真提供
日本歯科大学生命歯学部衛生学講座
株式会社松風

※所属は2021年３月現在

パワーポイントプラスαで進める　楽しく学び「生きる力」をはぐくむ

歯・口の保健教育Ⅱ

2021年5月2日　初版第1刷発行

著　日本学校歯科保健・教育研究会

デザイン・教材制作　株式会社ひでみ企画

発行者　山本　敬一

発行所　株式会社 東山書房

〒604-8454　京都市中京区西ノ京小堀池町8-2

TEL.075-841-9278　IP電話 050-3486-0489　FAX.075-822-0826

〒102-0073　東京都千代田区九段北4-3-32　一口坂TSビル7階

TEL.03-5212-2260　IP電話 050-3486-0494　FAX.03-5212-2261

https://www.higashiyama.co.jp

印　刷　創栄図書印刷 株式会社

　ISBN 978-4-8278-1585-6